Chères lectrices,

Déjà les fêtes de fin d'année ! ░░░░░░░░░░░░░░░░░░░░
vent, cédant bien vite la place à l'hiver… ce qui n'est pas pour
nous déplaire, reconnaissons-le ! Car, en ce mois de décembre,
le compte à rebours des festivités vient de commencer. Quelques
semaines d'intenses préparatifs nous attendent : shopping, déco-
ration de la maison, dégustations savoureuses en vue du réveillon.
Une opulence et une gaieté bienvenues en cette saison où les
jours sont si courts, et où l'on a souvent l'envie de se réfugier
bien au chaud chez soi…

A ce propos, j'espère que vous êtes confortablement installées
pour entamer la lecture de votre roman. Si tel est le cas, il ne
me reste plus qu'à vous souhaiter de passer de très agréables
festivités, en tête-à-tête ou en famille, et à vous donner rendez-
vous l'année prochaine.

D'ici là, excellente lecture !

La responsable de collection

Une union sous contrat

JESSICA STEELE

Une union sous contrat

COLLECTION AZUR

*éditions*Harlequin

Cet ouvrage a été publié en langue anglaise
sous le titre :
VACANCY : WIFE OF CONVENIENCE

Traduction française de
ANTOINE HESS

HARLEQUIN®

est une marque déposée du Groupe Harlequin
et Azur ® est une marque déposée d'Harlequin S.A.

1.

En pénétrant dans les bureaux, Colly se rappela sa première rencontre avec Silas Livingstone ; une rencontre fugitive, lors des funérailles de son père. Elle n'avait alors pas imaginé qu'elle le reverrait un jour... Pourtant, il était là, face à elle, semblable à l'image qu'elle en avait gardée : un homme plutôt grand, autour de trente-cinq ans, avec des cheveux noirs et un regard intense. La jeune femme avait même l'impression que ces yeux d'un bleu doux et profond pouvaient voir au plus profond de son âme.

Colly se souvenait très bien de ce qui s'était passé juste après le service funèbre. Sa belle-mère — qui, à vingt-huit ans, n'avait que cinq ans de plus qu'elle, et qui avait épousé son père deux ans auparavant —, ne lui avait pas même laissé le temps de faire la connaissance de cet homme : elle l'avait sans cesse accaparé, y compris au moment où il s'apprêtait à présenter ses condoléances à la jeune femme. Mais Colly n'y avait guère prêté attention, tant son chagrin occupait ses pensées.

Et elle retrouvait soudain cet homme dans des circonstances bien différentes. Car elle s'apprêtait à présenter sa candidature au siège de Livingstone Developments pour un poste dont elle avait trouvé les références dans les petites annonces d'un quotidien londonien.

7

— Silas Livingstone, annonça-t-il d'un ton courtois, après avoir échangé avec elle une franche poignée de main.

Son sourire avenant lui indiqua qu'il la reconnaissait, et elle ne sut si elle devait en être soulagée.

— Si vous voulez bien m'attendre un moment, reprit-il d'une voix calme, je dois m'absenter dix minutes.

— Je peux revenir plus tard, si vous préférez, répondit-elle poliment, d'une voix mal assurée.

— Non, non. J'en ai pour un instant... Installez-vous.

Lorsqu'il disparut dans le couloir d'un pas vif, Colly se sentit assez mal à l'aise. Elle était peu habituée à ce genre de bureaux où règne une activité intense. La secrétaire, installée devant deux écrans et trois téléphones, paraissait accomplir dix tâches à la fois. Colly en avait presque le vertige.

— Faut-il que j'aille attendre M. Livingstone dehors ? demanda-t-elle timidement.

— Oh, non. Il vaut mieux que vous restiez dans les parages. M. Livingstone a un emploi du temps très chargé, aujourd'hui. S'il vous a demandé de l'attendre, ne bougez pas, c'est plus prudent !

Colly s'installa un peu à l'écart, dans un endroit où elle était sûre de ne déranger personne. Elle attendait beaucoup de l'entretien d'embauche qui allait suivre. Livingstone Developments était une société en plein essor, et le salaire proposé lui paraissait mirifique. Si elle arrivait à décrocher le poste, elle pourrait enfin quitter l'appartement familial, devenu sinistre depuis la mort de son père. Sinistre et... invivable. Car ses relations avec sa jeune belle-mère, Nanette, se faisaient de plus en plus électriques. D'ailleurs, celle-ci n'avait pas caché son désir de voir Colly quitter les lieux au plus vite, bien au contraire ; elle ne se privait pas de le lui rappeler, dès qu'elle en avait l'occasion. Oui, il fallait absolument que Colly réussisse à trouver un travail lui permettant de financer un loyer. La petite annonce précisait : « Secrétaire multilingue ». Colly serait-elle à la hauteur ? Elle tapait assez vite à la machine, possédait une bonne connaissance du français et de l'italien, et savait également tenir une conversation en allemand et en espagnol. Mais elle n'avait jamais travaillé en tant que secrétaire, et ne pouvait donc se prévaloir d'aucune expérience, ce qui alimentait son inquiétude.

L'important, après tout, se disait-elle pour se rassurer, c'était la manière dont se déroulerait l'entretien. Et puis, il fallait y croire. Avec un peu de chance…

Le regard de Colly croisa celui de la secrétaire, et celle-ci lui adressa un bref sourire entre deux saisies au clavier. Colly admirait la manière dont la jeune femme répondait au téléphone avec efficacité, prenait des notes, parcourait l'écran d'un œil vigilant, puis reprenait sa frappe avec rapidité.

Mais bientôt, cette virtuosité lui rappela sa propre inexpérience, et elle se sentit ridicule. Une sorte de désespoir la gagna, et elle songea qu'elle ne parviendrait jamais à acquérir l'aisance d'une secrétaire accomplie… Elle avait vraiment été naïve… Non, mieux valait renoncer. Elle s'apprêtait à se lever pour partir, quand l'image de sa belle-mère lui revint avec force.

Même si elle ne se sentait pas capable de se transformer en secrétaire émérite, avait-elle le choix ? Il fallait absolument trouver un emploi afin d'obtenir cet appartement, cette liberté qu'elle désirait tant.

Oh, comme la situation qui était la sienne était pénible ! Son père, qui avait été assez fortuné, ne lui avait pas laissé le moindre sou, pas le moindre terrain, pas le moindre héritage ! Nanette héritait de tout. Quelle injustice…

Colly se remémora les deux tristes années qui venaient de s'écouler, et le jour funeste où son père, Joseph, était tombé follement amoureux de la réceptionniste de son club de sport, une jeune femme alors à peine âgée de vingt-six ans, qui avait quarante ans de moins que lui. Dès qu'elle avait fait sa connaissance, Colly avait senti que Nanette était une femme cupide et intéressée. Il lui avait suffi de surprendre les regards de cette intrigante sur les meubles de la maison, les objets de valeur, pour avoir la certitude que la nouvelle venue espérait tout autre chose qu'un mariage d'amour. Quant à Joseph, aveuglé par la passion, il s'était laissé porter par son élan, sans entrevoir la véritable nature de sa nouvelle épouse.

Dans un premier temps, Colly avait tenté d'ignorer ses propres réserves à l'égard de Nanette. Car elle avait perdu sa mère alors qu'elle n'avait que huit ans et, malgré le chagrin qu'elle en avait conçu, avait tenté de consoler son père, que ce décès avait assombri de longues années durant. Aussi le bonheur tout neuf de celui-ci l'avait-il incitée à faire tous les efforts possibles pour parvenir à une entente avec Nanette.

— Regarde, Colly, tu as vu cette belle émeraude ! Ton père et moi allons nous marier ! avait triomphalement annoncé Nanette, exhibant sa bague de fiançailles, quelques semaines après sa rencontre avec Joseph.

Colly, le cœur meurtri, avait alors bredouillé quelques mots de félicitations. Puis elle avait discrètement suggéré qu'il était sans doute préférable, à présent, qu'elle aille vivre de son côté.

— Mais non, avait protesté Nanette en riant avec légèreté. Je suis absolument incapable de m'occuper d'une maison. Reste donc. Tu t'occuperas des tâches ménagères, Colly. C'est une solution qui nous apportera satisfaction à tous trois !

Elle s'était alors tournée vers son futur mari et avait ajouté d'un ton angélique :

— N'est-ce pas, mon chéri ?

Joseph Gillingham avait acquiescé en souriant distraitement.

— Naturellement, je te donnerai le salaire que justifie un tel travail, avait-il assuré à sa fille d'une voix absente, comme s'il vivait désormais sur une autre planète.

Colly était donc restée. Le mariage avait eu lieu. Et quelques mois plus tard, Colly avait eu confirmation de ses pires craintes. Car non seulement sa jeune belle-mère était vénale et paresseuse, non seulement elle tournait la tête de son époux avec ses airs doucereux et sa voix caressante, mais elle ne se privait pas, dès qu'elle en avait l'occasion, d'aller chercher de la chair tendre ici ou là.

Bien malgré elle, Colly avait brutalement pris connaissance des infidélités de Nanette en répondant au téléphone en son absence, dans la journée, alors qu'elle étendait le linge ou cirait le parquet. Très vite, la scandaleuse réalité lui était apparue. « C'est ma petite chérie ? » avait ingénument demandé une voix masculine, quelques mois après le mariage de Joseph et de Nanette. « Non ! C'est sa belle-fille », avait répliqué Colly après un instant de stupeur, tandis que des larmes de rage lui montaient aux yeux. L'interlocuteur lui avait alors raccroché au nez, sans plus de commentaires.

C'était l'évidence : Nanette avait des amants.

Un jour, le téléphone sonna, et ce fut encore Colly qui décrocha. Nanette était partie faire des courses.

— Allô ? fit Colly.

— Mon petit cœur a oublié sa boucle d'oreille ! annonça d'emblée une voix masculine. Et tu sais où ? Sous l'oreiller !…

— Je ne suis pas votre *petit cœur*, répondit sèchement Colly. Et vous pouvez vous garder votre boucle d'oreille !

Puis elle raccrocha, révulsée.

Lorsque, une demi-heure après, Nanette fut de retour, Colly, encore étranglée par l'indignation, marmonna d'un ton ironique :

— Ah, j'ai un message pour vous, Nanette. Ne cherchez plus votre boucle d'oreille. Elle se trouve sous l'oreiller… où vous savez.

— Ah, très bien ! répondit Nanette avec désinvolture. Je la cherchais partout ! ajouta-t-elle avec un rire niais.

Elle ne donnait nullement l'impression d'être un tant soit peu embarrassée.

— Cela ne vous gêne pas, tout ça ? interrogea Colly après un moment.

— Tout ça quoi ? fit Nanette en levant un sourcil insouciant.

— Je parle de mon père, précisa Colly sur un ton glacial.

— Eh bien, quoi ? Tu ne vas pas le lui répéter, n'est-ce pas ?

— Et pourquoi pas ? gronda Colly.

— Il n'est pas malheureux, résuma Nanette d'un ton sans réplique. Au contraire.

Il n'était pas *malheureux*, en effet, puisqu'il n'imaginait pas un instant qu'il était trompé.

— Mais s'il apprend comment vous vous comportez, il sera désespéré, assura Colly avec une grimace amère.

— Oh, tu peux toujours le lui dire, si cela te chante, lança Nanette sur un ton de défi. Il ne te croira pas…

Une année passa, et le père de Colly continuait à adorer sa femme, tandis que celle-ci ne se privait pas de prendre des amants.

Un jour, pourtant, Colly remarqua dans le regard de son père une lueur étrange tandis qu'il contemplait Nanette. Avait-il deviné ?

Il mourut à quelque temps de là, subitement, d'une crise cardiaque. Il avait soixante-huit ans. Le médecin, venu pour constater le décès, annonça à Colly que rien n'aurait pu le sauver.

Le lendemain de sa mort, alors que Colly se trouvait encore sous le choc, elle entendit la porte de sa chambre s'ouvrir brusquement. Nanette brandissait d'un air joyeux des papiers qu'elle tenait à la main.

— Quel ange ! Il me lègue toute sa fortune, tous ses biens ! s'exclama la jeune veuve avec un air attendri.

Colly comprit que Nanette avait trouvé le testament de son père.

— … Et il n'y a rien pour toi, ajouta Nanette avec un méchant sourire. Ton père ne t'a rien laissé !

Elle leva sa main libre dans un geste vague, qui signifiait quelque chose du genre : « C'est le destin, c'est comme ça. Que tu le veuilles ou non… »

Deux jours plus tard, Nanette entra sans frapper dans la salle de bains de Colly, et, sans autre cérémonie, lança d'une voix ferme :

— Naturellement, il va falloir que t'installes ailleurs.

— *Naturellement*, répéta Colly avec une ironie amère.

Elle secoua la tête d'un air désabusé.

— Je n'avais pas l'intention de vous gêner trop longtemps, poursuivit-elle.

— Bien ! s'écria Nanette. Dès que les funérailles seront terminées, tu dégageras les lieux.

Atterrée, Colly comprit qu'elle était perdue. Son père avait disparu, elle n'avait plus de chez elle, et, de surcroît, pas d'argent. La seule personne qu'elle aurait pu appeler au secours était son « oncle » Henry, un grand ami de son père qu'elle connaissait depuis sa plus tendre enfance ; mais ce dernier se trouvait en voyage à l'étranger, et il n'avait même pas été prévenu du décès de son ami...

Comment allait-elle pouvoir se sortir de cette situation tragique ? Il lui restait assez d'argent pour payer le loyer d'un studio pendant une ou deux semaines ; pas plus. Pour la première fois de sa vie, elle avait l'impression d'être au bord d'un abîme et à bout de forces, prête à sombrer dans le vide...

Les funérailles de son père furent une épreuve terrible pour Colly. Sa belle-mère se pavanait dans son rôle de veuve éplorée, mais ne manquait pas d'observer discrètement, à la dérobée, les hommes les plus attirants qui étaient venus offrir un dernier hommage à Joseph Gillingham.

Colly se souvenait très bien de Silas Livingstone, qui dominait d'une bonne demi-tête le groupe des amis de son défunt père. Elle se rappelait de quelle manière Nanette avait tenté de retenir l'homme d'affaires à son côté. Elle lui avait même proposé de venir prendre le verre de l'amitié chez elle, mais Livingstone avait poliment refusé.

Et voici qu'elle se trouvait aujourd'hui dans les bureaux de Livingstone Developments, dans l'attente de ce fameux poste qu'elle convoitait, mais qui lui semblait de moins en moins accessible au fur et à mesure que le temps s'écoulait.

Tandis qu'elle attendait le retour de Silas Livingstone, de plus en plus pessimiste à la perspective de cet entretien d'embauche, Colly broyait du noir. Elle se disait qu'elle n'avait aucune compétence particulière, ni pour le secrétariat, ni pour le reste. Que faisait-elle ici ? C'était absurde.

Au moment précis où elle se levait, bien décidée à prendre congé, Silas Livingstone ouvrit brutalement la porte de son bureau, et leurs regards se croisèrent ; celui de Livingstone était sombre et sérieux, tandis que celui de Colly exprimait une profonde anxiété.

— Entrez, dit-il d'une voix calme et invitante, avant de s'effacer pour la laisser entrer la première.

En passant tout près de lui, elle prit conscience de sa haute taille. Il mesurait au moins vingt-cinq centimètres de plus qu'elle.

Il ferma la porte, et lui indiqua un siège où elle pouvait s'asseoir, non loin de son bureau.

— Je suis désolé pour votre père, commença-t-il, compatissant.

— Merci, murmura-t-elle, émue.

Assis devant son bureau, il considéra quelques instants la fiche qui concernait Colly.

— Votre prénom, c'est Colombine, n'est-ce pas ?

— On m'appelle habituellement Colly. Mais j'ai inscrit mon prénom officiel sur la fiche. Columbine Gillingham, c'est vraiment long à prononcer, expliqua-t-elle, intimidée.

— Certainement, admit-il avec un bref sourire.

Il continuait à survoler sa fiche et donnait l'impression de chercher, au-delà des mots, quelle était sa véritable expérience professionnelle.

— Vous avez fait du secrétariat ? lui demanda-t-il tout en continuant de parcourir le formulaire qu'il avait sous les yeux.

— Eh bien... hésita-t-elle, le cœur battant. A vrai dire, je n'ai pas une très grande expérience. Mais je me débrouille pas mal avec les langues étrangères, et je tape assez bien à la machine.

— A quelle vitesse ?

— Pardon ?

— Je veux dire : combien de mots à la minute ?

Comme elle restait sans répondre, il insista doucement :

— Ou combien de signes à la minute, si vous préférez.

Colly se sentit prise par un sentiment d'engourdissement, de pesanteur, qui la terrifia d'un coup.

— Je ferais peut-être mieux de m'en aller, murmura-t-elle d'une voix blanche au bout d'un moment.

Il hocha lentement la tête de gauche à droite. Elle ne savait pas si c'était pour la retenir, ou s'il signifiait par là sa consternation, face à tant d'incompétence.

Il releva la tête et la fixa longuement, de ses grands yeux bleus.

— Vous avez déjà eu un travail ? reprit-il avec douceur.

Elle hésita, très anxieuse.

— Eh bien, à vrai dire... Non, avoua-t-elle. Après mes études, je me suis occupée de la maison de mon père, jusqu'à ce que...

— ... Jusqu'à ce qu'il se remarie ?

— C'est-à-dire... La nouvelle épouse de mon père a préféré que je m'occupe moi-même de la maison, et, euh...

Grands dieux, comme cela paraissait ridicule ! Elle avait honte d'avouer cette situation qui avait été la sienne, une condition si humiliante : n'avait-elle pas servi, en quelque sorte, de domestique familiale ?

— Si je comprends bien, vous n'avez donc jamais eu de travail en dehors de chez vous ? résuma Livingstone.

— J'ai donné un coup de main, de temps à autre, dans une galerie d'art, confia-t-elle timidement.

Tous les mardis, en effet, Colly se rendait dans la galerie de Rupert Thomas pour l'aider à de modestes besognes. Mais il ne s'agissait nullement d'une activité professionnelle.

— Vous étiez payée, pour ce *coup de main* ? insista-t-il.

— Non.

— Avez-vous déjà perçu un salaire pour un quelconque travail ?

— Mon père me versait régulièrement de l'argent, une mensualité régulière, mais je ne peux pas considérer cela comme un salaire, expliqua-t-elle, les joues empourprées.

Après un temps de réflexion, Livingstone croisa les mains et la dévisagea d'une manière appuyée, mais pourtant amicale.

— Dites-moi, Columbine, pourquoi avez-vous fait acte de candidature chez nous ? Quelle est la raison essentielle de votre démarche ?

La question embarrassait Colly au plus haut point. Il était vraiment très difficile pour elle d'expliquer à son interlocuteur la situation désespérée qui était la sienne. Elle la résuma d'une phrase brève et directe :

— Je n'ai pas hérité de mon père.

Une lueur étrange passa dans le regard de Livingstone, et s'y perdit, imperceptiblement.

— Mais votre père vous a tout de même laissé quelque chose ? reprit-il.

— Non. Rien.

— On m'a pourtant dit qu'il avait de la fortune…

— C'est exact.

— Mais il ne vous a rien légué ?

— Absolument rien.

Elle avait répondu de manière tranquille, d'une voix basse, presque impersonnelle.

— Même pas la maison ? insista son interlocuteur.

— Même pas la maison. C'est la raison pour laquelle il me faut trouver un logement.

Une nouvelle lueur passa dans les yeux bleus de l'homme qui lui faisait face. Il la scrutait avec attention et intelligence. Et c'est avec douceur qu'il confia :

— J'ai l'impression que la nouvelle Mme Gillingham ne s'est pas mal débrouillée dans cette histoire…

« Oh oui ! » pensa-t-elle avec amertume. Nanette avait bien su tirer son épingle du jeu. Et Silas Livingstone avait sans doute tout compris du personnage lors des funérailles.

Colly se sentit une nouvelle fois très mal à l'aise. Pour elle, il allait de soi qu'elle avait échoué : elle n'aurait pas le poste. Et Livingstone devait penser qu'elle ne manquait pas de culot d'avoir posé candidature, compte tenu de sa totale inexpérience professionnelle.

S'apprêtant à se lever, elle soupira de manière brève et lança courageusement :

— Je vous remercie de m'avoir reçue, monsieur Livingstone. J'ai fait acte de candidature parce que j'ai besoin d'un travail. Je suis à court d'argent et…

— Cette mensualité que vous versait votre père… Vous la percevez toujours ?

— Bien sûr que non. C'est aussi la raison pour laquelle je dois absolument me trouver un travail… Et un salaire, qui me permettra de louer un appartement.

Livingstone fronça les sourcils, l'air absorbé. Il se pinçait machinalement le menton tandis qu'il réfléchissait. Au bout d'un moment, il reprit, de la même voix grave et posée :

— Concernant vos amis. Je veux dire… vos fréquentations — car je suppose que vous en avez, pensez-vous que…

— Les hommes sont le dernier de mes soucis.

— Vous n'avez pas de petit ami ? Vous n'êtes pas fiancée ?

— Ni fiancé, ni petit ami, confirma-t-elle avec un mince sourire. Je n'ai pas de temps à perdre.

— Vous n'envisagez pas de vous installer avec quelqu'un qui…

— Non. Je veux vivre seule. Ma préoccupation est professionnelle, et non sentimentale. Je veux être indépendante.

Il la contemplait, songeur. Elle se leva.

— Je ne vais pas vous faire perdre davantage votre temps, monsieur Livingstone. Et je comprends très bien que ma candidature ne convienne pas à votre société. C'est très aimable à vous de m'avoir reçue.

D'un geste autoritaire, il lui fit signe de se rasseoir. Colly ne comprenait pas pourquoi il perdait ainsi son temps avec elle.

Livlingstone se cala dans le fond de son fauteuil et croisa machinalement ses grandes mains. Puis il annonça sur un ton tranquille :

— Pour ce qui concerne le poste qui est à pourvoir, celui qui est paru dans les petites annonces, je suis désolé de vous dire que vous ne convenez pas, Columbine. Vous avez trop peu d'expérience.

Il observa un instant de silence avant de reprendre, à mi-voix, sur le même ton de confidence, tandis que son regard bleu se faisait plus intense :

— Mais j'entrevois tout de même une possibilité. Une perspective qui pourrait se révéler tout à fait intéressante pour vous.

— N'importe quoi, assura Colly, qui vibrait d'un enthousiasme soudain. Je suis prête à faire n'importe quoi !

Il la dévisagea en silence un long moment. La jeune femme eut l'impression qu'une éternité avait passé, lorsqu'il déclara d'un ton satisfait :

— Bien.

— De quel travail s'agit-il ? Vous savez, je me débrouille pas mal en informatique. Et je suis également capable de traduire… Je…

— Il s'agit d'un poste qui n'est pas encore créé, coupat-il prudemment. Le profil de ce poste n'a pas encore été nettement déterminé. Nous en parlerons.

Il consulta un luxueux agenda de maroquin noir.

— Prenons rendez-vous pour déjeuner, marmonna-t-il tandis qu'il tournait les pages en fronçant les sourcils.

Un déjeuner ? Colly ne comprenait pas très bien. Etait-ce ainsi que se pratiquaient habituellement les entretiens d'embauche ?

— Hum, non…, marmonna Livingstone, avec un soupir de déception, le nez dans son agenda. Tous mes déjeuners sont pris pendant quinze jours. Ce sera donc un dîner. Voyons… Hum… Est-ce que vendredi vous conviendrait ?

Surprise par cette proposition qui lui semblait étrangement inappropriée dans un contexte professionnel, Colly déglutit péniblement et lança :

— Pardonnez-moi, monsieur Livingstone, mais je crois vous avoir précisé que ce que je cherche, c'est un travail et non pas…

Elle s'interrompit, rougissante, très embarrassée.

Il répondit avec un sourire paisible et amusé.

— Je vous ai parfaitement entendue. Mon invitation à dîner n'est là que pour nous permettre de discuter de manière informelle de ce nouveau poste à pourvoir.

— Il s'agit donc uniquement de travail ?

— Uniquement, confirma-t-il avec un nouveau sourire.

Colly étudia le visage aux traits finement ciselés de Silas Livingstone. Il n'avait nullement l'air d'un homme qui cherche à courtiser une nouvelle venue. Et puis, avec son allure, sa classe, son envergure professionnelle, sa fortune, il pouvait sans nul doute faire fléchir toutes les femmes qu'il souhaitait, s'offrir qui lui plaisait. Non, manifestement, il n'attendait rien d'elle sinon une éventuelle collaboration professionnelle.

— Vendredi soir, pour dîner ? C'est bien cela ? répéta-t-elle après s'être éclairci la voix en toussotant légèrement.

— Oui. Si vous êtes libre.

— Mais… Ce travail ? Vous ne pouvez pas m'en dire un peu plus ?

— Comme je viens de vous le signaler, le poste n'est pas encore clairement défini. J'ai besoin d'un peu de temps pour en compléter le profil.

— Et vous en saurez davantage vendredi ?

— Oh, oui. Certainement. Je pourrai vous en parler de manière précise.

Elle avait envie de lui demander si ce poste allait consister à travailler pour lui. Et, par ailleurs, serait-elle capable de l'assumer ? Posséderait-elle les compétences techniques ? Autant de questions qui la taraudaient...

— Vous avez compris mon manque d'expérience, monsieur Livingstone. Pensez-vous que je puisse pourtant faire l'affaire ?

Il vrilla son regard bleu droit sur elle.

— Je le pense, murmura-t-il d'un ton grave.

Colly se leva enfin. Livingstone en fit autant.

— Je viendrai donc vous chercher vendredi, à 20 heures., dit-il.

Comme elle s'apprêtait à lui donner son adresse, elle se souvint qu'il la connaissait déjà : elle était inscrite sur la fiche de renseignements qu'elle avait remplie pour le poste à pourvoir.

2.

Trois jours plus tard, le jeudi qui suivit, Colly ne cessait de tourner et retourner dans sa tête la question obsédante : en quoi consistait ce travail dont Silas Livingstone allait lui parler « de manière informelle » ? De quel genre de poste s'agissait-il ? Livingstone n'avait rien voulu lui révéler de la nature de cet emploi. Elle brûlait d'impatience d'en savoir davantage.

Le vendredi soir, elle était prête bien avant 20 heures., habillée avec élégance mais simplicité : elle avait choisi une jupe noire assez stricte et un chemisier de soie blanche.

Lorsque Nanette la croisa, dans l'entrée, elle lança d'une voix rude en la toisant d'un œil froid :

— Où vas-tu, dans cette tenue ?

— Je sors pour dîner.

— Et *mon* dîner à moi, alors ?

Colly eut envie de rétorquer qu'elle s'était de bonne grâce occupée de la cuisine et du ménage de son père, mais qu'elle n'était en aucune manière à son service, *à elle*.

— J'ai un ami qui va venir me voir, un peu plus tard, reprit Nanette de la même voix désagréable. J'aimerais bien ne pas être dérangée quand tu reviendras.

Les phares d'une voiture qui se garait dans l'allée attirèrent l'œil de Colly. Abandonnant gaiement sa belle-mère, elle claqua la porte derrière elle et s'empressa de descendre à la rencontre de Livingstone.

— Bonsoir Colly, lança-t-il d'un ton enjoué lorsqu'il la vit.

Elle préférait nettement être appelée de cette manière plutôt que par son encombrant prénom officiel : Colombine.

— Bonsoir, répondit-elle en souriant. Vous avez trouvé facilement ?

— Sans aucun problème.

Il l'invita à prendre place dans la voiture et ils partirent. Le restaurant qu'il avait choisi se situait au rez-de-chaussée d'un luxueux hôtel.

Lorsqu'ils y entrèrent, Colly était un peu anxieuse : Livingstone allait enfin lui décrire son futur travail. Toutefois, il ne semblait pas pressé de lui détailler le poste. Un sourire léger aux lèvres, il proposa d'une voix courtoise :

— Qu'aimeriez-vous boire, Colly ?

Gagnée par la panique, elle répondit d'un ton tendu :

— Ecoutez, monsieur Livingstone…

— Vous pouvez m'appeler Silas, coupa-t-il avec un nouveau sourire.

— Hum, Silas… Je voulais vous demander… Ce travail que vous me proposez…

On vint leur apporter les entrées. Silas Livingstone commanda le vin. Colly bouillait d'impatience. Sa frustration redoubla lorsqu'il précisa avec flegme :

— Nous allons avoir tout le temps de parler de cet emploi. Pour l'instant, dînons tranquillement.

Et il partit sur des sujets divers et variés, fort plaisants : il posa de nombreuses questions à Colly, sur ses goûts, ses intérêts en peinture, en musique ou en littérature. La jeune femme s'efforça de répondre avec amabilité, malgré son impatience.

Lorsque le dîner fut terminé, elle décida de se jeter à l'eau :

— J'ai passé une merveilleuse soirée, assura-t-elle en souriant de manière légèrement tendue. Mais j'aimerais avoir quelques éclaircissements sur ce poste dont vous m'avez parlé...

— Je souhaitais vous connaître un peu mieux avant de nous embarquer sur ce sujet, expliqua-t-il posément. Je voulais savoir de manière plus précise qui vous êtes.

— Etes-vous satisfait, à présent ?

— Je crois que oui, dit-il d'un ton serein.

Il la considéra un instant et reprit :

— En fait, j'aurais aimé parler avec vous dans un endroit un peu plus tranquille qu'ici. Et je pensais que nous serions très bien chez moi.

— Chez vous ? répéta-t-elle, subitement alarmée.

Colly commençait à trouver pour le moins étrange cette proposition. Elle se refusait à toute relation ambiguë. Préférant se montrer claire dans ses intentions, elle se leva, déçue. Elle s'en voulait de s'être ainsi laissé berner.

— Je pense qu'il est préférable que je parte, marmonna-t-elle, navrée. Je vous remercie pour le dîner...

— Attendez ! Asseyez-vous, Colly. J'ai quelque chose à vous dire.

Elle hésita avant d'obtempérer, encore méfiante.

— Il m'est difficile de vous entretenir de ce travail au milieu de toutes les oreilles qui traînent, expliqua-t-il en désignant les autres tables alentour. Mais je ne veux pas vous alarmer. Nous resterons ici, si cela peut vous rassurer. La plupart des gens sont partis, et nous allons pouvoir parler tranquillement.

Rassérénée, Colly comprit que le moment était enfin venu, et qu'elle avait réagi avec une vivacité excessive.

— Vous n'avez pour l'instant aucune idée de ce travail que je vous propose, commença Livingstone en la regardant droit dans les yeux.

— Aucune, admit Colly. Mais du moment que ce travail est honnête et bien payé, je suis disponible. Je suis prête à faire n'importe quoi.

— Comment, « n'importe quoi » ? Cela va-t-il donc si mal pour vous ? murmura Livingstone.

Pour toute réponse, elle poussa un long soupir, très explicite.

— Je vois, conclut-il d'un air sérieux.

Ils restèrent silencieux un moment. Puis Colly s'éclaircit la gorge et demanda d'une voix prudente :

— Quel est le genre de travail que vous pourriez me proposer ?

Silas la considéra un moment, puis répondit par une question :

— Dites-moi, Colly. Si vous n'aviez pas ce problème d'argent et de logement, quel serait pour vous le scénario idéal ? En d'autres termes, quelle sorte de vie choisiriez-vous, si vous étiez entièrement libre ?

— Je chercherais avant tout l'indépendance. Et d'abord une indépendance de logement. Depuis longtemps je rêve d'avoir un logement à moi, mais...

— ... Mais votre père préférait votre présence chez lui, afin qu'il y ait quelqu'un pour assumer le ménage et l'intendance...

26

— En fait, c'est Nanette, ma belle-mère, qui trouvait bien commode d'avoir une domestique chez elle.

— Et maintenant qu'elle a hérité de la maison, des meubles et du reste, elle veut vous mettre dehors ?

— C'est exact. Voilà pourquoi je suis à la recherche d'un logement, en premier lieu, et d'un travail ensuite ; sachant que l'un ne peut être obtenu sans l'autre. Quant aux objectifs que vous évoquiez il y a un instant, un « scénario idéal », je pense que j'aimerais retourner à l'université, peut-être pour suivre des cours sur l'histoire de l'art.

Elle s'interrompit et resta un instant silencieuse.

— Oui, reprit-elle lentement d'une voix rêveuse, l'histoire de l'art…

Silas la fixait avec beaucoup d'attention. Un sourire avait pris naissance sur ses lèvres. C'était la première fois que Colly le voyait sourire de cette manière. Il donnait l'impression d'ouvrir les portes derrière lesquelles il se barricadait.

— J'apprécie votre naturel, Colly, confia-t-il à mi-voix. Vous êtes droite et intègre. J'ai l'impression que je peux avoir confiance en vous.

Colly se sentit rougir. C'était fort aimable à lui de lui faire de tels compliments, mais elle aurait bien voulu en savoir un peu plus sur le mystérieux poste dont il n'avait pas encore voulu parler. Pourquoi mettait-il tant de temps à lui en présenter les spécificités ? A l'instant où elle allait, une nouvelle fois, l'interroger sur ce travail, il la devança et lança tout à trac :

— Que savez-vous au juste de Livingstone Developments ?

Colly comprenait que c'était lui qui menait la danse. Il lui fallait se soumettre à ses questions avant de poser les siennes. Il fallait faire preuve de patience.

— J'ai appris que votre entreprise a été fondée il y a de nombreuses années par un homme qui s'appelait exactement comme vous.

— Oui, confirma-t-il, l'air satisfait. Silas Livingstone, mon grand-père, a fondé l'entreprise voici soixante ans. Et c'est mon père qui a pris la relève et a transformé cette entreprise d'équipement industriel en la hissant à un niveau international.

— ... Et vous avez été élu président il y a cinq ans, enchaîna Colly.

— Bravo, s'exclama Silas. Je vois que vous êtes parfaitement renseignée. Notre société n'a cessé de se développer depuis soixante ans. Et elle est aujourd'hui en plein essor. C'est pourquoi il serait désastreux qu'elle se mette brusquement à sombrer.

— A sombrer ? Mais pourquoi ?

— Soixante années d'efforts pourraient être réduites à néant si...

Silas Livingstone s'interrompit, le visage très soucieux.

Colly ne comprenait absolument pas où il voulait en venir. Elle avait l'impression de naviguer dans un épais brouillard, un brouillard comme il n'en existe qu'en Angleterre.

— Je ne comprends pas, avoua franchement Colly.

— Je vais vous expliquer. Commençons par le commencement, si vous le voulez bien.

— Je vous écoute, assura-t-elle, brûlante de curiosité.

— Mon grand-père, en son temps, a fait un merveilleux mariage.

De plus en plus perdue, Colly ne comprenait absolument pas ce que le mariage du grand-père de Silas pouvait avoir à faire avec le poste qu'il allait lui proposer.

— Malheureusement, ma grand-mère est morte il y a six mois, poursuivit Silas.

— Oh, je suis désolée, murmura-t-elle.

— Comme vous pouvez l'imaginer, mon grand-père a été désespéré par la disparition de cet être qui lui était si cher. Depuis la mort de ma grand-mère, il tourne en rond. Il ressasse le passé, ne cesse de réfléchir. Figurez-vous qu'il a pris une étrange décision. Une lubie, si vous voulez. Mais une lubie sur laquelle il ne reviendra pas.

— Une... décision ?

— Oui. Ferme et définitive. C'est mon père qui m'a raconté cela. Mon grand-père, qui détient la majorité des actions de l'entreprise, a décidé de léguer ses actions à mon cousin Kit au cas où je demeurerais vieux garçon. Si ces actions ne me reviennent pas comme elles le devraient, l'entreprise risque de couler, car mon cousin n'a pas l'envergure d'un dirigeant. Kit est un... disons, pour être poli : un dilettante. Il faut donc que je me marie. C'est aussi simple que cela.

— Vous... Vous n'êtes pas marié ? interrogea Colly en clignant des yeux.

— Je ne l'ai jamais été.

— Et votre cousin Kit, lui, est marié ?

— Depuis dix ans.

— Vous n'avez pas une fiancée ? Une compagne ? Une femme que vous aimez ?

— Non. Et c'est aussi bien ainsi.

— Mais pourquoi ne vous mariez-vous pas ?

— Il n'en est pas question.

— Mais votre grand-père, si je comprends bien, s'obstine : il veut votre mariage, ou bien il léguera ses actions à votre cousin. C'est cela ?

— C'est aussi simple que cela. Et cependant, c'est loin d'être simple, ajouta-t-il avec un rire bref. Si mon cousin devient majoritaire dans la société, celle-ci sera perdue en peu de temps. C'est un garçon droit, mais qui n'a pas l'envergure d'un décideur : jamais il ne saura gouverner le navire.

La situation devenait beaucoup plus claire pour Colly. Elle comprenait à présent pourquoi Silas avait refusé de lui révéler la situation lorsque le restaurant était plein. Il s'agissait d'un drame familial qui devait naturellement rester secret. Silas lui avait donc fait une confidence importante, et elle s'en trouvait émue et flattée : sa confiance l'honorait.

— Résumons la situation, dit-elle avec une détermination affable. Si je vous ai bien compris, il y a deux possibilités. Ou bien votre cousin hérite des actions de votre grand-père et mène la société à sa perte, ou bien vous vous mariez et c'est vous qui héritez.

— C'est exactement cela. Si je ne me marie pas, les actions reviendront à mon cousin. Je ne pourrai obtenir les parts de mon grand-père qu'un an et un jour après mon mariage. C'est le délai qu'il a prescrit.

Il la fixa de son regard bleu, tout empreint d'une soucieuse gravité.

— Un an et un jour, répéta-t-il en détachant chaque mot. Alors je pourrai disposer des actions de mon grand-père.

Comme il demeurait silencieux et pensif, Colly reprit d'une voix désolée :

30

— Je comprends votre situation, Silas. Ce n'est pas simple, en effet. Et si vous persistez à refuser de vous marier, la société risque bien de s'effondrer.

Il hocha la tête pour signifier que c'était bien le problème.

— Eh bien, mariez-vous, lança-t-elle. C'est la seule solution.

Il devait avoir l'embarras du choix, songea-t-elle. Les femmes devaient tourner autour de lui depuis longtemps... Il avait tout : le charme, l'intelligence, la fortune, la classe... Et quel beau visage ! Rien ne lui serait plus facile que de choisir la plus charmante des demoiselles, parmi ses connaissances.

Silas resta un très long moment sans répondre, au point que Colly se demanda s'il avait été fâché par le conseil qu'elle s'était permis de lui donner.

Puis il prit une profonde inspiration, et murmura d'une voix lente et posée :

— Me marier ? Oui, c'est en effet la seule solution, déclara-t-il en la regardant de manière si appuyée qu'elle baissa les yeux, intimidée.

Il y eut une nouvelle pause, plus brève, et il reprit sur le même ton de confidence :

— C'est là que vous entrez en scène, Colly.

— Moi ? fit-elle, interloquée.

— Oui, vous.

Elle eut l'impression que son cerveau se figeait. Et c'est d'une voix automatique, non contrôlée par sa volonté, par sa conscience, qu'elle rétorqua d'un ton bref, très net :

— Non.

Le mot avait jailli de sa bouche immédiatement, sans qu'elle ait pris le temps de réfléchir. C'était un « non » qui exprimait toute son indépendance, tout ce qu'elle portait au plus profond d'elle-même et qui faisait sa richesse : son intégrité, sa liberté, sa souveraineté.

Et subitement, elle comprit qu'elle avait forcément fait erreur.

— Je suis désolée, dit-elle. J'ai cru un instant que vous me proposiez le mariage, à moi... C'est absurde, évidemment !...

Mal à l'aise, elle partit d'un rire bref et nerveux.

Silas, lui, ne riait pas. Et c'est d'une voix sourde qu'il murmura :

— Ce n'est pas si absurde...

Cela signifiait-il qu'il songeait à l'épouser, elle ? Dieux du ciel, ce n'était pas possible ! Ce serait totalement fou !

— Je ne veux pas d'un mari ! lança-t-elle dans un élan de sincérité.

— Bien, parfait ! Je suis enchanté de votre réponse.

Silas avait l'air pleinement satisfait de quelqu'un qui vient d'entendre ce qu'il souhaitait entendre.

— Et moi, je n'ai pas besoin d'une épouse, reprit-il avec la même assurance. Voyez-vous, Colly, nous sommes, vous et moi, dans la même situation : nous avons chacun un problème. Je vous ai exposé le mien, et j'ai compris le vôtre : il vous faut trouver un salaire et un logement. C'est en ce sens que je peux vous aider. Il m'est facile de financer votre...

— Je ne veux pas de votre argent ! protesta-t-elle avec fierté.

— Considérez cela comme un salaire.

— C'était donc cela, le travail que vous aviez à me proposer ? explosa-t-elle, indignée.

Silas poussa un long soupir, puis ouvrit les mains dans un geste de conciliation.

— Ecoutez, Colly. Essayez d'être logique. Dans mon métier, je ne travaille pas au jour le jour, mais pour le long terme. Mardi dernier, en vous voyant, j'ai eu une idée. Une idée géniale, je n'ai pas honte de le dire.

— Laquelle ?

— Vous épouser.

Colly se leva brusquement. Ce n'était pas du tout le genre de travail auquel elle s'attendait.

— Merci pour le dîner, dit-elle d'un ton sec.

Il se leva également, et elle fut une nouvelle fois surprise par la taille de cet homme qui la dépassait de plus d'une demi-tête.

— Attendez, Colly, lança-t-il avec une ardeur surprenante. Essayez de comprendre : aucun de nous n'a envie de se marier. C'est déjà un point acquis.

Il la retenait par le bras afin qu'elle ne s'enfuie pas.

— Ni vous ni moi ne nous impliquerions sentimentalement dans une telle union. Ce n'est pas comme si nous avions à vivre ensemble. Vous avez un réel problème, Colly. Aidez-moi à le résoudre, et, ce faisant, vous résoudrez le mien. Mon grand-père possède un petit appartement ici, à Londres, et il m'a demandé d'y jeter un œil, de temps à autre. Vous me rendriez un grand service en vous installant dans cet appartement. L'endroit a besoin d'être… aéré.

— Alors vous m'offrez un bail ! dit-elle avec un rire amer.

— En échange de cet appartement, je vous demande simplement de prendre une demi-heure de votre temps, un jour, pour signer un papier et dire « oui » devant un employé de mairie. Le jour où vous m'épouserez, je ferai un virement de 10 000 livres sur votre compte.

Par ailleurs, je suis prêt à financer les études que vous souhaitiez reprendre en faculté sur l'histoire de l'art.

— Non, dit-elle avec fermeté. Je ne suis pas d'accord.

— Réfléchissez, Colly.

— C'est tout réfléchi. Maintenant, j'aimerais que vous me reconduisiez chez moi.

Il poussa un profond soupir et secoua la tête, puis appela le garçon d'un geste avant de lui glisser quelques billets. Puis, sans attendre sa monnaie, il la guida vers la sortie.

Pas un mot ne fut échangé sur le chemin du retour. Colly, toute songeuse, fixait la route devant elle.

Lorsqu'ils furent arrivés et qu'il ouvrit sa portière, il l'interrogea d'un regard ardent.

— Alors ? fit-il en se penchant sur elle avec intensité.

— Alors quoi ? marmonna-t-elle, toujours enfoncée dans son siège.

— Qu'avez-vous décidé ?

— Je vous ai donné ma réponse tout à l'heure. J'ai été claire.

— Vous avez réagi de manière instinctive, émotionnelle. Vous n'avez pas pris le temps de la réflexion. Epousez-moi, Colly. N'en faites pas une montagne. Nous y gagnons tous les deux.

— Mais je ne vous connais même pas !

— Vous n'avez pas à me connaître, puisqu'il s'agit d'un mariage purement formel ! Cela vous prendra une demi-heure. Nous n'aurons même pas besoin de nous revoir par la suite.

34

— Non, Silas. Je ne peux pas. Je suis désolée. Je sais à quel point vous avez besoin de cet acte de mariage, mais...

Elle sortit de la voiture. Comme elle se dirigeait à vive allure vers sa maison — qui n'était plus la sienne depuis que l'usurpatrice occupait les lieux —, il la rejoignit prestement.

— Réfléchissez, Colly. Prenez tout le temps. Je vous téléphonerai mardi soir.

Elle ouvrit la bouche pour dire une nouvelle fois : « non », mais renonça et lança un bref :

— Bonsoir, Silas.

Elle entendit, derrière son dos, qu'il ouvrait sa portière. Le ronronnement du moteur gronda dans la nuit. La voiture s'éloigna.

Le lundi suivant, Colly croisa Nanette dans la cuisine.

— Tu es encore là ? siffla cette dernière.

— Rassure-toi : j'ai des projets, mentit Colly.

— Je te conseille de les mettre à exécution au plus vite ! A la fin de la semaine, j'exige que tu aies disparu. Et je te préviens : je vais faire changer les serrures !

— Tu ne peux pas faire ça ! s'exclama Colly, horrifiée.

— Et qui donc m'en empêcherait ? M. Joseph Gillingham m'a légué cette maison. Elle est à moi, à moi, à moi !

Les glapissements de sa belle-mère donnèrent des sueurs froides à Colly, qui ne parvenait à comprendre la cruauté, la cupidité et l'égoïsme de cette femme ingrate. Mais elle savait que ces questions étaient stériles : une seule chose importait désormais, quitter cette maison qui ne lui appartenait plus, et s'installer ailleurs. Mais comment ?...

Un peu plus tard, tandis qu'elle repensait aux manières odieuses de sa belle-mère, Colly se mit, pour la première fois, à envisager la proposition de mariage de Silas Livingstone. Accepter cette proposition résoudrait tous ses problèmes, certes, mais... Mais elle ne pouvait se lancer dans un tel engagement. C'eût été de la folie.

Il fallait faire le point au plus vite avec Silas, lui dire qu'elle renonçait une fois pour toutes à son offre. Elle décrocha le téléphone, composa le numéro de Livingstone Developments et demanda Silas. Il n'était pas là. On lui dit qu'il serait de retour dans son bureau une demi-heure plus tard. Elle décida de se rendre directement sur place.

C'est la secrétaire personnelle de Silas qui la reçut.

— Prenez un siège. Mettez-vous à l'aise. M. Livingstone va rentrer d'un moment à l'autre.

Comme elle patientait, confortablement assise, elle fut surprise par l'apparition d'un homme qui avait à peu près le même âge et la même taille que Silas. Mais leurs visages, en revanche, différaient totalement l'un de l'autre. Autant celui de Silas, fin et racé, exprimait l'intelligence, la volonté, un caractère hors du commun ; autant celui du nouveau venu exprimait la mollesse, la médiocrité.

— Ah, Ellen ! Mon cousin n'est pas là ? lança cet homme à la secrétaire d'un ton précipité.

— Il n'est pas encore revenu, répondit Ellen sans quitter son écran des yeux.

Le cousin remarqua subitement la présence de Colly.

— Vous attendez Silas ? demanda-t-il sans préambule. Puis, dans la foulée, il enchaîna en tendant la main :

— Je me présente : Kit Summers.

Colly tendit la main, elle aussi, et se sentit gênée lorsque son interlocuteur la retint longuement serrée dans la sienne ; elle avait l'impression d'être tenue par un serpent. Sa main était moite et froide.

— Qu'est-ce qu'une charmante femme comme vous peut bien venir faire ici ? dit Kit Summers avec un sourire charmeur.

Colly venait en un instant de saisir tout l'esprit du fameux cousin dont lui avait parlé Silas. Elle comprit que, si l'entreprise devait être gérée par un tel individu, elle sombrerait dans les six mois. C'était clair. Summers était tout en artifice, il suffisait d'observer son visage, son regard.

Comme elle ne répondait pas à sa question, il insista d'une manière plutôt balourde.

— Et si nous allions prendre une tasse de thé, en attendant le retour de Silas ? proposa-t-il en roulant des yeux de conquérant.

Colly tourna brusquement la tête et regarda bien en face ce mufle qu'elle savait marié et père de famille.

— Non merci, articula-t-elle avec froideur.

Ellen quitta enfin son écran des yeux et se tourna vers Kit Summers.

— Est-ce que vous avez apporté le dossier que vous deviez préparer pour Silas ?

— C'était pour aujourd'hui ?

— Bien sûr !

— Ah, j'ai complètement oublié...

L'air piteux, Summers se dirigea vers la porte, et, juste au moment de partir, il marmonna :

— Inutile de dire à Silas que vous m'avez vu. Et ne lui dites pas non plus que j'ai passé la matinée au golf...

Lorsque le cousin eut disparu, Colly comprit à quel point son comportement irresponsable et superficiel était capable de parasiter une société telle que Livingstone Developments.

Elle attendit patiemment le retour de Silas, qui se manifesta brusquement dix minutes plus tard.

— Bonjour Colly ! lança-t-il allègrement dès qu'il l'aperçut. Venez. Allons dans mon bureau.

3.

Silas ferma soigneusement la porte et demanda d'un ton plein d'optimisme :

— Alors ? Vous avez eu le temps de réfléchir ? Vous avez à me parler ?

— Eh bien... hésita-t-elle, la gorge sèche.

Comme elle laissait sa phrase en suspens, Silas lui indiqua un fauteuil d'un signe de la main.

— Mettez-vous à l'aise, asseyez-vous, je vous en prie.

— Je suis désolée de vous déranger dans votre travail, débita-t-elle d'un coup. Je sais que vous avez beaucoup à faire.

— Vous avez préféré me donner votre réponse dès maintenant ? murmura doucement Silas d'un ton encourageant. C'est bien.

— Je crois que c'est encore non, murmura Colly d'une voix hésitante, les sourcils froncés, les yeux rivés sur le sol.

Elle se mordilla la lèvre, bouleversée par la décision qu'elle essayait de prendre. Elle n'arrivait pas à prononcer un non catégorique, et Silas semblait s'en rendre compte.

— C'était non l'autre jour, dit Silas à mi-voix. Mais vous avez eu le temps de réfléchir.

— Certes, j'ai eu le temps, acquiesça-t-elle, très remuée. Mais il y a autre chose qui… que…

— C'est quoi, cette autre chose ? questionna-t-il avec beaucoup de lenteur et de douceur.

— Eh bien… Hum… Ce matin, Nanette, vous savez : ma belle-mère…

Elle hésitait, à la fois honteuse et embarrassée.

— Vous pouvez me parler sans crainte, Colly…

— Nanette m'a dit ce matin qu'il me fallait trouver un autre endroit pour vivre avant la fin de la semaine…

— Cela ne vous laisse pas beaucoup de temps, ironisa-t-il avec un sourire songeur. Alors, vous avez donc changé votre décision et vous êtes prête à m'épouser ?

Elle hésita une nouvelle fois et, du bout des lèvres, prononça :

— Non.

— *Non* ? répéta-t-il imperturbable. Et pourquoi, *non* ?

— Comme je vous l'ai déjà dit : nous ne nous connaissons pas, nous sommes de véritables étrangers l'un pour l'autre… Enfin, M. Livingstone, un tel mariage serait tout à fait absurde, tout à fait…

Elle s'interrompit, terriblement remuée.

Il la considérait toujours avec un grand calme.

— Bref, reprit-elle d'un ton résolu, ce matin, comme je me sentais hésitante, j'ai décidé de devancer le fléchissement que je sentais naître en moi et d'aller vous voir directement pour vous donner ma réponse.

— Autrement, vous risquiez de ne plus pouvoir dire ce « non » ?

— Exactement. Mais figurez-vous que, pendant que je vous attendais, il s'est passé quelque chose…

— Ah ? fit-il, soudainement en alerte. Quoi donc ?

— Votre cousin est passé.

— Et alors ?

— Eh bien, j'ai compris très vite. Vous aviez raison : Kit Summers ne possède absolument pas l'envergure pour diriger votre société. Il est évident que s'il venait à en prendre la direction, la société coulerait très vite...

Elle s'interrompit et vit que Silas l'écoutait avec une attention extrême.

— Cet homme manque à l'évidence de talent comme des plus élémentaires manières, conclut-elle d'un ton méprisant.

— Il ne tient qu'à vous qu'il soit mis à distance, murmura Silas, les yeux toujours fixés sur elle.

Colly percevait les battements accélérés de son cœur dans sa poitrine. Elle comprenait qu'il allait lui falloir, dans les minutes qui venaient, prendre la plus importante décision de sa vie.

— Oubliez donc votre orgueil et acceptez l'aide que je vous propose, plaida Silas qui la sentait hésiter. Pensez à cette société qui risque de sombrer, à toutes les consé-quences qu'une telle chute entraînerait : des centaines de personnes au chômage... Pensez aussi à vous, Colly. Il vous faut absolument vous sortir de l'impasse où vous vous trouvez.

— Mais pourquoi moi ? J'imagine que vous connaissez quantité de femmes qui seraient susceptibles de tenir le rôle.

Silas, toujours très concentré, fit un léger signe de tête pour dire « oui ». L'air pensif, il poursuivit :

— Vous, vous êtes différente, Colly. Vous avez besoin d'aide, précisément. Et cette aide, je suis capable de vous la proposer dans la même mesure que l'aide que vous, vous allez m'offrir.

— Vous savez également que je ne chercherai pas à profiter de la situation, compléta-t-elle, songeuse. Vous avez deviné que je ne suis pas le genre de femme calculatrice et intéressée, qui serait capable d'élaborer on ne sait quelles machinations juridiques pour vous prendre à la gorge et vous pressurer.

— C'est exactement ce que je pense, confirma-t-il avec un sourire franc. Je vous porte une confiance absolue.

Ils partirent tous deux d'un rire qui détendit subitement l'atmosphère.

Le bourdonnement de l'Interphone se fit entendre. Silas tendit la main et appuya sur le commutateur. Ellen Rothwell, sa secrétaire, s'excusa pour cette interruption. Elle lui rappela le rendez-vous qù'il avait et lui annonça qu'il avait une série d'appels téléphoniques en attente.

— Merci, Ellen. J'en ai pour une minute, murmura Silas.

Colly se leva.

— Vous êtes bien sûr de votre décision ? De votre choix ? insista-t-elle en croisant le regard de Silas qui s'était levé, lui aussi.

— Absolument sûr, répondit-il en la fixant sans ciller.

— Quand souhaitez-vous régler tout cela ?

— Dès que possible.

Il se pencha et écrivit deux ou trois lignes sur un coin de papier qu'il lui tendit.

— Voici l'adresse de votre nouveau chez-vous. Pouvez-vous y venir ce soir à 21 heures ? Je vous montrerai les lieux.

— Neuf heures, c'est d'accord, j'y serai, répondit-elle en marchant vers la porte d'un pas décidé, le cœur toujours battant.

Les jeux étaient faits. Mais elle se sentait étrangement légère.

Dans la soirée, Colly arriva la première à l'adresse indiquée. Elle patienta dans sa voiture en contemplant l'entrée de ce qui allait être sa nouvelle résidence. C'était un joli petit immeuble de trois étages. Silas lui avait dit que l'appartement de son grand-père se situait au rez-de-chaussée, et elle essayait, dans la nuit, de le localiser.

Peu de temps après, Silas arriva dans une grande et luxueuse voiture, qu'il gara immédiatement dans l'entrée de l'immeuble.

— C'est vraiment charmant ! s'exclama-t-elle lorsqu'il la fit entrer dans l'appartement.

Ce n'était pas très grand, certes : un salon, une chambre à coucher, une cuisine et une salle de bains, mais les pièces étaient aménagées avec beaucoup de goût.

— Si vous souhaitez vous débarrasser de certains meubles, cela ne pose aucun problème, assura Silas.

— Mais non, il n'y a rien qui me déplaise.

— En tous les cas, vous pouvez faire venir votre propre mobilier.

Colly s'amusa intérieurement à l'idée de sa belle-mère en train de constater la disparition d'un simple tabouret de cuisine. Nanette appellerait tout simplement la police, sans l'ombre d'une hésitation.

— Oh, vous savez, je ne possède plus de meubles personnels, expliqua Colly en essayant d'oublier son amertume.

— Vous pouvez vous installer dès que vous le souhaitez, reprit-il avec un sourire engageant.

— Ne préférez-vous pas que le... que la démarche administrative soit terminée ?

— Et où logerez-vous en attendant ? A l'hôtel ? Non, le plus simple est de vous installer ici dès maintenant.

Il se laissa choir dans un siège et lui fit signe de s'asseoir non loin de lui.

— J'ai pu me libérer demain matin, annonça-t-il. Vous êtes libre ? Il nous faut déposer la demande de mariage, et...

— J'avais promis de venir m'occuper de la galerie d'un ami...

— Dites que vous ne pouvez pas, ordonna-t-il d'un ton bref.

— Mais...

— Il faut absolument que nous déposions au plus tôt la demande de mariage. Une fois que les papiers seront en règle, le délai minimum de publication des bans avant la cérémonie est de deux semaines. Je passerai vous prendre à 10 h 20. Munissez-vous d'une pièce d'identité, voire de deux, et d'un acte de naissance, si possible.

— Entendu.

— Nous pourrons nous marier le samedi, dans deux semaines. Cela vous va ?

Il l'interrogeait d'un regard vif et profond.

— Très bien, répondit-elle, le cœur battant.

Les choses allaient bien plus vite qu'elle ne l'aurait cru. Depuis la mort de son père, les événements semblaient se bousculer, au point qu'elle avait parfois l'impression d'un tourbillon sans fin. Un vent de panique passa soudain sur elle.

— Ce... Ce mariage ? dit-elle précipitamment.

— Oui ?

Elle se rendait compte de l'absurdité de la question, mais elle ne pouvait pas éviter de la poser.

44

— Je n'aurai rien à faire qui... que... je veux dire : rien à faire d'autre que cette signature à la mairie ? balbutia-t-elle, désemparée.

Comme Silas la dévisageait sans comprendre, elle précisa dans un souffle :

— Je... n'aurai pas besoin de vivre avec vous ?

— Vous aurez votre propre appartement.

— Mais vous avez un double de la clé. Et ne m'avez-vous pas dit qu'il était possible que vous veniez coucher de temps à autre dans cet appartement ?

— C'est vrai, admit-il.

Elle se sentit devenir toute rouge tandis qu'elle murmurait avec difficulté :

— Voyez-vous, je ne souhaite pas qu'il y ait quoi que ce soit de... de physique entre nous...

— Pourquoi rougissez-vous ainsi ?

Il la fixait, manifestement fasciné par son trouble, par le rose qui colorait ses joues.

— Comprenez-moi, lança-t-elle courageusement. Je ne veux pas d'un mari. La chose est claire. Et, de votre côté, vous ne souhaitez pas une épouse.

Elle voulait absolument s'assurer que rien d'ambigu ne puisse exister entre eux : aucun rapport physique quel qu'il fût.

— Nous sommes bien d'accord là-dessus, confirma-t-il avec un sourire rassurant. Ah, j'oubliais : c'est pour vous.

Il lui tendit une carte de visite.

— C'est mon adresse et mon numéro de téléphone personnels — au cas où vous auriez besoin de me joindre, précisa-t-il.

Colly prit le bristol et le rangea machinalement dans son sac. Une chose, encore, la tourmentait : la durée de ce mariage. Quand pourrait-elle reprendre sa « liberté » ?

— Nous n'avons pas parlé du divorce, fit-elle remarquer, préoccupée.

— Du divorce ? répéta-t-il, le visage soudainement transformé, assombri. Il n'y aura pas de divorce. Mon grand-père a des idées très arrêtées sur ce sujet, très rétrogrades. Dans la famille, on ne divorce pas. Le mariage est sacré. C'est la raison pour laquelle mon cousin Kit a une belle longueur d'avance sur moi, car il est marié, lui, depuis un bon bout de temps.

Colly se rappelait la très désagréable impression que lui avait faite le cousin en question.

— Et il est conscient de cette longueur d'avance, n'est-ce pas ? dit-elle avec une grimace involontaire.

— Oui. Il ronge son frein et attend avec impatience le fauteuil présidentiel de la société.

— Mon Dieu, ce serait une catastrophe ! murmura-t-elle, sincère. Allez-vous lui annoncer que vous êtes marié, lorsque la chose sera faite ?

— Certainement pas. Personne ne doit être au courant. Je compte sur vous pour ne rien dire à personne.

— En ce qui me concerne, il n'y a personne à qui je puisse dévoiler notre arrangement.

Elle fut surprise par le sourire particulièrement lumineux de Silas. Pour la première fois, elle remarquait la beauté de sa bouche, merveilleusement dessinée.

— Mais que va-t-il se passer si vous tombez amoureux d'une femme que vous rencontrez ? hasarda-t-elle. C'est une chose qui peut arriver, après tout.

— Non.

46

— Comment le savez-vous ? Il se peut que vous ayez envie d'épouser une femme que vous rencontrez, qui vous fascine, dont vous tomberiez follement amoureux.

— Non, répéta-t-il avec obstination.

— Ne connaissez-vous aucune femme possédant des qualités tout à fait extraordinaires ? insista-t-elle sur un ton taquin.

— Non, grommela-t-il une nouvelle fois.

Il parut s'ébrouer, à la manière d'un chien qui sort de l'eau, et le coin de sa bouche se releva en un sourire malicieux.

— La femme dont vous parlez n'existe pas, murmura-t-il en secouant la tête. Mais laissez-moi vous poser la question à mon tour : vous pourriez, vous aussi, tomber amoureuse et désirer vous marier avec quelqu'un d'autre, non ?

— Comme je vous l'ai déjà expliqué, je ne veux pas de mariage, pas de liaison. Seule me préoccupe ma carrière professionnelle.

— Alors nous sommes tous les deux bien d'accord, conclut-il en ouvrant ses longues mains en un geste pacifique.

Puis son regard se rembrunit. Il resta songeur quelques instants et reprit à mi-voix :

— Pour ce qui est de la durée de notre mariage, vous comprendrez que je ne peux pas m'avancer. Cette durée dépend du temps qu'il reste à vivre à mon grand-père. Je ne peux évidemment pas souhaiter qu'il meure le plus tôt possible...

— C'est évident, confirma-t-elle, compatissante.

Silas se leva. Lorsqu'il fut debout, la pièce parut soudainement plus petite.

— Mais n'ayez crainte. Nous divorcerons plus tard, et vous aurez encore toute la vie devant vous pour vous remarier, si vous en avez envie. Venez, maintenant. Je vais vous montrer le garage, en sous-sol de l'immeuble, dit-il d'un ton guilleret. Vous pourrez y garer votre voiture.

Dans la même soirée, Colly décida de rassembler les documents dont elle avait besoin pour le mariage. Comme elle explorait l'un des tiroirs de la bibliothèque où elle avait l'habitude de ranger ses papiers, Nanette la surprit soudain.

— Qu'est-ce que tu fais ? Tu fouilles ?

— Mais non, se défendit-elle, révoltée par le sans-gêne de sa belle-mère, par cette façon qu'elle avait toujours de régenter son entourage.

— Et ces papiers, là, c'est quoi ? insista Nanette d'une voix revêche.

— Cela ne te concerne en rien. Ce sont *mes* affaires. J'aimerais bien avoir la paix.

Sur ces mots, Colly, qui avait rassemblé ses documents, quitta la pièce sans un regard pour l'intruse.

Trois jours plus tard, le vendredi, Colly entreprit de déménager. Nanette n'était pas à la maison, heureusement. Elle était partie faire des courses, et c'était bien mieux ainsi : Colly n'aurait pas à lui faire ses adieux, ni à lui fournir de quelconques explications.

Ses valises prêtes, la jeune femme posa son trousseau de clés sur la table de l'entrée, bien en évidence, et tira la porte derrière elle. Jamais elle ne reviendrait. La page était tournée.

Les jours qui suivirent furent consacrés à son emménagement. Ce nouvel appartement la rendait joyeuse, mais bientôt, l'angoisse revint, liée à la date du mariage qui approchait. Souvent, Colly demeurait rêveuse : elle allait épouser, dans quelques jours, le fameux Silas Livingstone ! C'était incroyable ; et c'était pourtant la réalité.

Elle s'abstint de le contacter. Pourtant, elle aurait bien aimé échanger quelques mots avec lui, car elle se trouvait dans une solitude assez étrange, assez pesante même : cet appartement n'était pas le sien, et elle devait apprendre à l'apprivoiser. Une toute nouvelle vie s'ouvrait à elle, et elle en avait peur.

Deux jours avant le mariage, le téléphone sonna. Colly fit un bond. Le téléphone sonnait très rarement. Comme elle s'apprêtait à répondre que l'on s'était trompé de numéro, elle reconnut la voix de Silas.

— Tout va bien, Colly ?

— Très bien. Je… Je suis contente de vous entendre, avoua-t-elle de manière impulsive.

— Ah ?

— Oui, vous savez… Tout cela me semble parfois tellement irréel…

— Pourtant c'est bien réel, assura-t-il avec un rire léger. Vous allez voir samedi ! Je vous appelle simplement pour vous dire que je vais transférer la somme convenue sur votre compte bancaire. Pouvez-vous me donner l'adresse de votre banque et votre numéro de compte ?

— Oh, il n'y a pas d'urgence, protesta-t-elle.

— Autant faire les choses maintenant. Pouvez-vous prendre votre carnet de chèques et me donner les renseignements dont j'ai besoin, je vous prie. Je reste en ligne.

Elle alla prendre son carnet de chèques — qui était vierge — dans un tiroir, et transmit les coordonnées bancaires à Silas.

— Eh bien, à samedi, donc, lança-t-il gaiement. Nous nous retrouverons devant la mairie.

— Soyez sans crainte : je serai à l'heure, promit-elle.

— J'espère bien ! répondit-il en riant.

Il raccrocha.

Colly resta un instant interdite, le récepteur à la main, avant de raccrocher.

Le destin était décidément surprenant : elle laissait derrière elle sa position d'orpheline déshéritée pour devenir une jeune mariée célibataire ! Le cœur battant, elle rêva au samedi suivant.

Comme elle l'avait promis, elle fut à l'heure à la mairie.

Elle avait hésité à s'acheter une robe de mariée, une robe courte, certes, car il s'agissait d'un mariage civil. Mais, ayant bien réfléchi, elle s'était dit qu'il serait plus raisonnable de garder son argent pour l'avenir. Elle avait donc revêtu un ensemble jaune clair qu'elle n'avait pas mis depuis longtemps, et qui lui allait fort bien.

D'ailleurs, quand Silas la vit, il arrondit les yeux de manière ostensible, et lui sourit, visiblement sensible à sa tenue. Il était lui-même remarquablement élégant — ce qui n'était guère étonnant de la part d'un homme de goût à qui tout allait.

Ils restèrent un instant face à face, silencieux, comme si le temps avait suspendu son vol. Puis, Silas murmura d'une voix sincère :

— Vous êtes vraiment ravissante.

Colly avait envie de répliquer sur une note d'humour, de dire quelque chose du genre : « Vous n'êtes pas mal non plus », au lieu de quoi, elle articula d'une voix éraillée un banal :

— Euh, merci.

Elle se mordit la lèvre en songeant qu'elle aurait eu tant d'autres choses à dire, de manière plus brillante !...

Mais elle avait passé une mauvaise nuit durant laquelle les doutes les plus vifs étaient réapparus à propos de ce mariage invraisemblable. Mais elle ne pouvait plus revenir en arrière, à présent. Une nouvelle vie allait commencer pour elle.

Sans doute Silas avait-il deviné ses pensées, car il la fixa d'une manière ardente et demanda d'un ton grave :

— Prête pour la grande aventure, Colly ?

L'espace de deux ou trois secondes, elle soutint le regard animé d'une flamme vive, puis répondit d'une traite :

— Allons-y, Silas. Je suis prête.

Quelques minutes plus tard, Colly et Silas se tenaient devant l'officier municipal chargé de célébrer la brève cérémonie du mariage civil. Lorsque les « oui » furent prononcés, on tendit à Colly — comme c'est la tradition — un document de papier assez épais : le certificat de mariage. Elle le tendit aussitôt à Silas qui le reçut avec un sourire radieux.

Il se passa alors un épisode inattendu qui bouleversa Colly. Silas se pencha sur elle et posa ses lèvres sur les siennes en un chaste et doux baiser.

— Merci, Colly, murmura-t-il, les yeux brillants.

Un peu plus tard, Colly se demandait si elle n'avait pas rêvé. « Il m'a embrassée... Il m'a embrassée... » se répétait-elle, toute chavirée.

Ils sortirent de la mairie, de manière aussi discrète qu'ils y étaient entrés.

Silas accompagna Colly jusqu'à l'endroit où elle avait garé sa voiture. Soudain, une impression très étrange envahit Colly. Elle eut le sentiment qu'elle était en train de vivre une histoire surréaliste, d'un illogisme absolu. Elle se dit que l'homme qui se trouvait près d'elle était son mari, et elle savait en même temps qu'elle ne le reverrait plus — ou seulement de manière accidentelle, aléatoire.

Et voici qu'ils allaient se séparer. Chacun irait de son côté. Elle ne savait comment lui dire au revoir, ou plutôt adieu. Elle hésita à lui tendre la main. Elle n'osa l'embrasser.

Comme elle hésitait, Silas lui demanda d'une voix tranquille :

— Et si nous allions déjeuner ensemble ?

— Mais vous avez du travail, répondit-elle, étonnée par la proposition.

— Je peux m'offrir une petite récréation de quelques heures...

— Vous m'aviez dit : « Le mariage prendra une demi-heure. Pas une minute de plus. »

— Comme vous voulez... soupira-t-il, l'air déçu. Au revoir, ma chère épouse, ajouta-t-il avec un sourire empreint de tendresse.

Elle s'installa au volant, mit le contact, démarra. Elle passa devant lui. Il lui fit un signe amical de la main. Elle répondit par un petit signe de la main droite, un geste que l'on fait dans les gares ou les aéroports.

En apercevant la silhouette de Silas qui diminuait dans son rétroviseur, elle songea que, jamais, de sa vie, elle n'eût imaginé faire un tel mariage.

Lorsque l'image de Silas eut disparu, elle eut brusquement envie de fondre en larmes. Elle se rendait subitement compte de l'effet qu'il produisait sur elle.

Jamais elle ne se l'était avoué jusqu'alors, mais la chose était certaine : cet homme la fascinait comme personne ne l'avait fascinée jusqu'alors.

4.

Deux jours après le mariage, Colly décida de commencer une nouvelle vie, et de l'organiser de manière intelligente. Elle se sentait beaucoup mieux, beaucoup plus indépendante dans le nouvel appartement que Silas lui prêtait. Il avait transféré sur son compte les dix mille livres promises, mais elle ne voulait pas gaspiller cet argent qui était destiné à financer ses études d'histoire de l'art. Elle comprenait qu'il lui était nécessaire de trouver un travail, même si celui-ci était peu payé.

Elle aboutit bientôt à un arrangement avec son vieil ami Rupert, qui dirigeait une galerie de tableaux. Rupert était prêt à lui offrir un salaire modeste en échange d'un horaire régulier. C'était merveilleux : elle avait un logement, un travail et des projets d'avenir !

Colly était à la galerie depuis quelques semaines lorsqu'elle retrouva un homme qu'elle n'avait pas vu depuis longtemps : Henry Warren, l'un des meilleurs amis de son père — qu'elle considérait comme son oncle.

— Oncle Henry ! s'exclama-t-elle lorsqu'il poussa la porte de la galerie.

Il avait fait un long voyage et n'avait pas pu être présent aux obsèques du père de Colly. On avait cherché à le joindre, en vain.

Elle se jeta dans ses bras, les larmes aux yeux.

— Comment s'est passé ton voyage ? demanda-t-elle, tout émue et remplie de curiosité.

— J'ai appris en rentrant, samedi dernier, la mort de ton pauvre père...

Henry, lui aussi, avait les yeux humides.

— Quel choc pour toi, oncle Henry...

— Oh, oui. Quelle perte !

Henry secoua lentement la tête, marquant sa profonde tristesse, son incrédulité devant une telle disparition.

Puis il se reprit, et, tandis que Colly lui proposait de s'asseoir dans un coin retiré de la galerie, il annonça tout à trac :

— Je suis passé chez Joseph hier. Figure-toi que c'est Nanette qui m'a reçu. Elle avait l'air triomphant. Un peu moins, toutefois, lorsque je lui ai annoncé une nouvelle d'importance.

— Quelle nouvelle ? s'étonna Colly, haussant les sourcils.

— Lorsque ton père s'est senti moins bien, dans les dernières semaines de sa vie, et avant que je n'entreprenne mon voyage, il m'a demandé un service.

— Un service ?

— Il a souhaité que ce soit moi qui m'occupe de son testament, qui accepte de faire le relais avec son notaire.

Colly, ébahie, fixait l'ancien ami de son père avec des yeux ronds.

— Mais je croyais qu'il avait fait un testament depuis longtemps, un testament en faveur de Nanette !

— Il en a rédigé un autre, qui annule bonnement et simplement le précédent, confia Henri Warren, le regard brillant.

— Dieux du ciel ! murmura Colly, abasourdie.

— Comme tu le sais sans doute, ton père, au début de son mariage avec Nanette, était tellement épris qu'il en était devenu aveugle, à maints égards. Par la suite, il s'est dessillé les yeux. Il s'est rendu compte de certaines réalités, et il a décidé de modifier le testament qu'il avait d'abord rédigé sous l'empire d'une passion déraisonnable, et probablement sur les encouragements pernicieux de sa jeune épouse. Il m'a dit qu'il avait honte de t'avoir délaissée, et qu'il désirait que tu aies ta part, lorsque le jour serait venu.

— Ma part ? répéta Colly, stupéfaite.

Oncle Henry fit une pause et considéra d'un air tendre celle qui était pour lui comme une nièce, une filleule.

— Il t'a laissé la moitié de ce qu'il possédait, confia-t-il à mi-voix.

Suffoquée, Colly balbutia :

— La... La moitié ! La moitié de...

— La moitié de tout : argent, actions, maison. La moitié est à toi. Le reste est pour Nanette.

Colly, bouleversée, se leva brusquement.

— Je vais faire un café, annonça-t-elle, fiévreuse.

Puis elle se rassit, prise par un doute soudain :

— Est-ce qu'il est légal, ce nouveau testament ?

— Tout ce qu'il y a de plus légal. Il s'agit d'un acte notarié. Nanette n'a pas été mise au courant, car c'est moi qui me suis chargé de cette démarche. Et lorsqu'il est mort, Nanette a naïvement cru qu'elle pouvait compter sur *l'ancien* acte. Que nenni ! L'ancien testament est aboli. Le nouveau prend la relève.

Henry la fixa de son regard doux et franc.

— C'est comme dans la Bible, conclut-il avec un rire bref et triste. Si tu savais comme j'ai été heureux, pour toi, de m'occuper de cette dernière volonté de ton père. Vois-tu, ma chère petite, il eût été bien injuste que cette Nanette emporte tout. Je n'ai jamais beaucoup apprécié cette femme…

Colly fut tout près de dire : « Moi non plus », mais elle se retint. Elle était sidérée de la nouvelle que venait de lui confier oncle Henry. Cette nouvelle signifiait tout simplement qu'à partir de maintenant, elle n'avait plus de soucis d'argent à se faire.

— Oh, j'ai oublié le café ! s'exclama Colly, bouleversée.

Ils se levèrent. Henry accompagna Colly dans la petite cuisine située dans le fond de la galerie. Comme il soufflait sur son café brûlant, Henry lui demanda où elle s'était installée, et Colly lui donna son adresse — sans pour autant lui expliquer la réalité de la situation, et en se gardant d'évoquer Silas. Henry crut que ce nouvel appartement était une location. C'était aussi bien ainsi. Comme elle l'avait promis, Colly gardait secret son mariage.

— Tu vas bientôt pouvoir t'acheter un appartement bien à toi, assura joyeusement l'oncle Henry. Et même, un bel appartement, si tu le souhaites !

— Ai-je donc tant d'argent que cela ? s'étonna-t-elle, les yeux papillotant d'émerveillement.

Ce soir-là, après avoir quitté la galerie, Colly rentra chez elle la tête toute bourdonnante. Cette soudaine richesse était certes une excellente nouvelle, mais la jeune femme était surtout heureuse de savoir que son père avait finalement compris quelle erreur il avait commise, et s'était repenti de son attitude à l'égard de sa fille unique. Oui, son père était mort en se souvenant qu'il l'aimait...

Lorsqu'elle fut rentrée dans son petit appartement, Colly prit une douche, se changea, puis s'installa dans le plus confortable des fauteuils. Et là, elle se mit à réfléchir, les bras croisés, le regard fixe.

Au bout de quelques minutes, sa décision était prise : elle se leva et alla prendre son papier à lettres.

Elle commença sa lettre par « Mon cher Silas ». Elle remercia d'abord son bienfaiteur et mari officiel pour l'aide qu'il lui avait généreusement apportée. A présent, elle n'avait plus besoin de cette aide. Elle venait d'apprendre qu'elle héritait de la moitié des biens de son père. Elle expliqua qu'il était logique qu'elle rende les dix mille livres que Silas lui avait offertes. Par ailleurs, elle souhaitait payer la location de l'appartement, puisqu'elle n'avait plus de problèmes financiers. Cela lui semblait logique, honnête.

Elle relut la lettre et termina par une formule à la fois amicale et relativement impersonnelle : « Bien à vous. Colly ».

Le lendemain, comme elle passait devant la poste, elle mit la lettre dans la boîte.

Le surlendemain soir, elle entendit frapper à sa porte. Elle ouvrit. C'était Silas. Il avait un visage soucieux.

— Entrez, dit-elle avec un sourire affable. J'imagine que vous avez reçu ma lettre.

— Oui, confirma-t-il d'un ton mécontent.

— Asseyez-vous donc, proposa-t-elle d'un ton avenant.

Il s'assit, la mine sombre.

— Alors, vous voulez divorcer ? lança-t-il brusquement d'un ton rogue.

58

Stupéfaite, Colly répondit d'une voix enrouée par la surprise :

— Quand ai-je dit ou écrit cela ? Je n'ai jamais parlé de divorce !

— Vous avez écrit que vous souhaitiez mettre un terme à notre arrangement.

— Non. Je vous ai simplement dit que je disposais à présent d'argent à moi et qu'il me semblait normal de vous rendre celui que vous m'aviez avancé.

— Vous aviez donné votre accord, pourtant, gronda-t-il.

— Oui, c'est un fait. Mais je n'ai plus besoin d'aide financière ou autre. J'ai de l'argent. En tous les cas, je vais en avoir d'ici peu.

— Alors vous ne remettez pas en cause notre accord initial ?

— Mais non ! assura-t-elle avec un large sourire. Je suis enchantée de ce mariage que nous avons conclu !

Le visage de Silas se détendit. Il eut un sourire, à son tour, discret et passager, tandis qu'il la contemplait en biais.

— En tous les cas, nous ne nous voyons pas souvent, ironisa-t-il avec une certaine morosité.

— Je me demandais s'il ne serait pas préférable que je quitte votre appartement, maintenant que j'en ai les moyens, reprit-elle après un moment de silence.

— Il n'en est pas question, rétorqua-t-il sèchement. Vous m'offenseriez.

— Alors, je pourrais au moins payer un loyer, insista-t-elle, soucieuse.

— N'y pensez pas.

— Réfléchissez-y, tout de même, Silas.

— C'est tout réfléchi. Un accord est un accord.

— Certes, mais quand nous l'avons conclu, je n'avais pas d'ar...

— N'insistez pas, Colly. Vous allez me fâcher. Vous aimez cet appartement ?

— Je l'adore. J'y suis merveilleusement bien.

— Alors, restez-y, selon les termes de notre arrangement.

— C'est votre dernier mot ? murmura-t-elle en soupirant.

— Oui.

Il se leva nerveusement et se dirigea vers la porte.

— Je vous aurais bien proposé du café... dit-elle sur un ton poli.

— J'aurais refusé, grommela-t-il.

Il se trouvait devant la porte. C'était tout juste s'il n'allait pas devoir baisser la tête pour passer. Il était vraiment très grand... Elle ouvrit la porte et fit un mouvement de côté en murmurant :

— Bonsoir, Silas.

— Bonsoir, ma chère épouse, répondit-il avec un sourire qui la toucha au plus profond d'elle-même, en plongeant son intense regard bleu dans le sien.

Colly se sentit rougir. Une étrange chaleur s'était logée dans sa poitrine, et elle s'appuya contre le mur. Il y eut une seconde d'hésitation, de part et d'autre. Un temps où tout sembla en suspens. Et soudain, les lèvres de Silas furent sur les siennes, tendres, douces, sensuelles.

Au cours des jours suivants, Colly regarda régulièrement dans sa boîte aux lettres, attendant son relevé de compte bancaire et d'y lire le débit du chèque qu'elle avait envoyé à Silas. Mais elle découvrit avec stupeur que ce dernier ne l'avait pas encaissé. Il l'avait sans doute déchiré, mis de côté ou oublié. En tous les cas, le compte créditeur de Colly affichait toujours les dix mille livres du départ. Les jours passaient. Elle songea à écrire de nouveau à Silas, à lui téléphoner pour le convaincre d'accepter le remboursement ; mais elle devinait qu'il allait une nouvelle fois refuser.

Quelques semaines plus tard, Colly, qui venait d'arriver à la galerie comme chaque matin, remarqua un magazine qui traînait sur un siège. Elle le prit machinalement pour le ranger, et c'est alors qu'elle aperçut la photo de Silas. Un important article lui était consacré. « Silas Livingstone au plus mal », titrait-il. Elle eut l'impression que son cœur s'arrêtait de battre, se laissa choir sur la chaise et parcourut avidement le texte. Silas, au cours d'un de ses voyages d'affaires, avait été atteint par un parasite tropical. On l'avait rapatrié en urgence. Il se trouvait dans une unité spécialisée d'un grand hôpital londonien. L'article mentionnait même le nom de l'hôpital.

Colly se précipita sur le téléphone et appela les renseignements pour obtenir le numéro de l'établissement avant d'attendre, tremblante d'inquiétude, que le médecin consente à lui livrer quelques informations. Mais elle comprit bien vite qu'elle devrait se déplacer pour que le personnel médical accepte de l'éclairer. Aussi, en toute hâte, elle sortit et héla le premier taxi.

Vingt minutes plus tard, elle entrait presque en courant dans l'hôpital. On lui indiqua où se trouvait le pavillon de parasitologie tropicale. Elle courut encore. Tout essoufflée, elle parvint devant le guichet des admissions. Une infirmière était en train de noter des renseignements sur une fiche. Elle leva la tête en voyant Colly.

— Savez-vous où se trouve M. Silas Livingstone ? articula Colly, haletante, le cœur battant à se rompre.

L'infirmière la dévisagea un instant et répondit d'une voix douce :

— Vous êtes de la famille ?

— Oui, oui, répéta Colly, la respiration brève.

Il lui était naturellement impossible de dire qu'elle s'appelait « Colly Livingstone », qu'elle était officiellement la femme de cet illustre patient.

— Comment va-t-il ? demanda-t-elle d'une voix altérée par l'angoisse.

— Il va mieux, beaucoup mieux, assura l'infirmière avec un sourire prometteur.

L'infirmière lui expliqua qu'on avait réussi à isoler le parasite, à en reconnaître la nature. Silas était donc hors de danger. Ce n'était plus maintenant qu'une question de temps : il était très faible et devait se reposer.

Soulagée d'entendre ces nouvelles rassurantes, mais bouleversée par les événements, Colly essuya une larme.

— Aimeriez-vous le voir ? proposa obligeamment l'infirmière.

— Oh oui !

— Vous êtes réellement de la famille ? De la famille proche ?

— Oui, assura Colly en la fixant droit dans les yeux.

— Alors, venez. Il faut d'abord que vous enfiliez une blouse et que vous mettiez un masque. M. Livingstone se trouve dans une chambre stérile.

Quelques instants plus tard, l'infirmière poussait la porte de la pièce, accompagnée de Colly.

— Une visite pour vous, monsieur Livingstone, annonça-t-elle d'un ton feutré.

Colly s'avança plus près du lit.

Silas ouvrit les yeux. Il avait l'air épuisé. Il avait beaucoup maigri.

— C'est moi, c'est Colly, murmura celle-ci, très émue.

Elle pensait qu'il ne l'avait sans doute pas reconnue derrière le masque. Mais ce n'était pas le cas.

— Qui d'autre pourrait avoir ces merveilleux yeux verts ! articula Silas d'une voix enrouée.

Elle eut subitement envie de se jeter dans ses bras — c'était absurde, bien sûr, mais l'impulsion avait été aussi soudaine que puissante. Elle demanda d'une voix étranglée :

— Comment ça va ?

— Pas si mal que ça ! dit-il avec un pauvre sourire.

L'infirmière s'était discrètement éclipsée pour les laisser seuls.

— J'ai vu un journal qui parlait de vous, expliqua Colly, intimidée. Je suis venue aussitôt. Vous comprenez, je ne tiens pas à devenir veuve aussi rapidement !

Silas eut un rire silencieux, mais un vrai rire. Colly avait les larmes aux yeux.

— Je ne vais pas m'attarder, confia-t-elle. L'infirmière m'a dit que vous aviez besoin de beaucoup de repos.

— Depuis que je suis ici, je n'arrête pas de me reposer. C'est éreintant, à la longue.

Il cligna de l'œil et Colly se mit à rire, à son tour.

Un moment passa. Colly observait que Silas, de temps à autre, fermait les yeux. Les paupières à demi closes, il demanda d'une voix lointaine, qui semblait venir d'un autre monde :

— Pourquoi êtes-vous ici, Colly ?

Elle ne répondit pas immédiatement. Comme elle essayait de trouver une raison valable, elle vit qu'il s'était rendormi. Elle sortit de la chambre stérile sur la pointe des pieds, rassérénée.

Dans les jours qui suivirent, elle fut tentée de revenir le visiter à l'hôpital, mais s'en abstint. Leur convention n'était-elle pas, dès le départ, une vie indépendante en dépit de leur statut marital officiel ? Elle tenait à respecter cet accord auquel elle avait souscrit. Même si elle se préoccupait de lui, elle était décidée à rester dans l'ombre. De temps à autre, elle parcourait la presse afin de lire les articles concernant Silas Livingstone. Il allait de mieux en mieux, semblait-il.

Une semaine après la visite de Colly à l'hôpital, un vendredi soir, le téléphone sonna.

— J'ai un problème, annonça d'emblée Silas.

D'après le ton de sa voix, elle comprit qu'il ne s'agissait pas d'un problème de santé, mais de quelque chose de bien moins grave. Elle avait décelé une tonalité presque joyeuse dans ces premiers mots qu'il venait de prononcer.

— Un problème ? répéta-t-elle, compatissante. Où êtes-vous ? Toujours à l'hôpital ?

— Oui, hélas. Mais j'ai décidé de partir demain matin.

— On vous a autorisé cette sortie ?

— J'ai décidé de rentrer chez moi. Je ne supporte plus ces quatre murs blancs, cet environnement stérile... Je rentre. Le problème, c'est que j'ai promis à mon père de ne revenir au bureau qu'avec l'accord du médecin traitant. Et ma mère est décidée à s'occuper de moi si je rentre. « Tu comprends, Silas, si tu avais une femme qui s'occupe de toi, ce serait différent. » Cela m'a mis la puce à l'oreille.

— Vous allez leur dire que vous êtes marié ?

— Oh non ! Je ne suis pas paniqué à ce point. Je pensais simplement que, peut-être, vous pourriez accepter de venir vous occuper de moi un jour ou deux, le temps que je me réadapte à la vie de tous les jours. Cela m'éviterait le maternage d'une mère qui serait trop heureuse de me dorloter, de me chouchouter... Vous voyez ce que je veux dire : on vérifie la température toutes les heures, on est forcé de grignoter toutes les dix minutes... Je n'ai pas envie de tout cela. J'ai passé l'âge. C'est pourquoi j'ai pensé à vous. Rassurez-vous : vous aurez votre propre chambre. Vous garderez votre indépendance. Mais je serais vraiment heureux si vous pouviez me dépanner.

Colly savait qu'elle n'avait pas besoin de peser le pour ou le contre. C'était tout réfléchi, elle était prête à s'occuper de lui...

Oui, une certitude l'avait frappée, au cours des derniers jours : elle l'aimait.

— A quelle heure envisagez-vous de sortir de l'hôpital, demain matin ? s'enquit-elle d'une voix calme.

— Vers 10 heures.

— Très bien. Je viendrai vous chercher à 10 heures.

Il y eut quelques secondes de flottement sur la ligne. Colly se demanda s'il s'était endormi, ou s'il avait raccroché. Puis elle entendit la voix de Silas, grave et chaleureuse.

— Merci, dit-il doucement.

Elle raccrocha et resta un très long moment près du téléphone, songeuse. Elle comprenait que Silas n'en puisse plus de cet environnement hospitalier, de cette chambre stérile, de cette solitude forcée.

Elle comprenait également qu'il lui fallait une personne — une femme, pour assurer le quotidien des premiers jours à la maison. Et elle assumerait d'un cœur content cette nouvelle et provisoire fonction qu'il lui proposait.

5.

Silas était à présent la priorité principale de Colly.
Tout le reste était secondaire. Aussi appela-t-elle son
ami Rupert, le directeur de la galerie de tableaux, pour
lui annoncer que, dorénavant, elle ne viendrait que le
mardi à la galerie.

Elle quitta son appartement le lendemain matin avec
une petite valise.

Lorsqu'elle arriva à l'hôpital, Silas était prêt et l'attendait, assis sur un fauteuil nickelé.

Elle fut surprise de le voir si amaigri. Elle en avait
le cœur serré.

— Vous n'êtes pas très gros, soupira-t-elle, inquiète.

— J'ai eu quelques petites misères, dit-il d'un ton
léger. Cela passera tout seul.

— Est-ce vraiment raisonnable, de quitter l'hôpital ?

— C'est la question que l'on m'a posé une demi-
douzaine de fois — au moins — ce matin, assura-t-il
avec un air narquois.

Il la fixa d'un air farouche.

— Je ne reste pas une minute de plus dans cet endroit,
grommela-t-il, déterminé.

Ils sortirent de l'hôpital. Silas marchait à pas hésitants. Il faisait froid. Lorsqu'ils furent dans sa voiture, Colly poussa la molette du chauffage à fond. Elle démarra. Cinq minutes plus tard, elle remarqua que la tête de Silas penchait nettement sur le côté : il dormait.

Elle connaissait heureusement la route, et se gara bientôt devant l'immeuble de Silas. Lorsqu'il fut chez lui, il poussa un soupir de satisfaction et commenta d'un ton ravi :

— Ah, ce que c'est bon d'être chez soi, si vous saviez !...

Son contentement était attendrissant.

— Voulez-vous que je vous fasse un café ? proposa-t-elle. Vous avez le droit de boire du café ?

— J'ai tous les droits, décréta-t-il avec assurance. Je suis guéri.

Ce n'était pas totalement vrai, car elle constatait sa faiblesse dans tous les faits et gestes de la vie quotidienne. Tout juste arrivait-il à marcher à pas comptés, de manière lente et maladroite. Il avait réellement été laminé par ce parasite. « Dieu merci, il s'en est sorti », pensa-t-elle en le voyant se diriger vers un meuble avec une démarche de marin ivre.

— Il faut vous coucher, Silas, murmura-t-elle, apitoyée. Vous êtes sorti de l'hôpital, mais vous avez encore besoin de repos.

Il s'était laissé tomber dans un fauteuil. Elle lui tendit un verre où elle avait dilué un des médicaments prescrits par l'hôpital.

— Buvez ça, ordonna-t-elle, impérieuse.

— Vous êtes pire que ma mère, répondit-il en faisant la grimace.

Il se soumit pourtant et avala d'un coup le verre qu'elle lui tendait.

— Comment cela s'est-il passé pour vous ? demanda-t-il en levant des yeux interrogateurs.

— Oh, très bien, assura-t-elle avec un petit rire. Mieux que pour vous, assurément.

— Pas d'accrochages avec votre chère belle-mère ?

— Il n'y a pas eu de confrontation, heureusement. Elle n'a pas mon adresse. J'ai de ses nouvelles, indirectement, par mon protecteur, Henry Warren, qui était l'un des meilleurs amis de mon père. Il m'a dit qu'elle était prête à vendre la maison. C'est très bien ainsi.

Elle marqua une pause et reprit d'un ton décidé.

— Pendant que je vais faire quelques courses, vous feriez mieux de vous mettre au lit.

— Les courses ? Quelles courses ?

— Il va bien falloir que vous mangiez quelque chose, et…

— Vous n'êtes pas ici pour me faire la cuisine, grogna-t-il, bourru.

— Alors pour quoi suis-je là ? Pourquoi m'avez-vous demandé de venir ?

— Par exemple, pour répondre au téléphone. Ma mère ne va pas tarder à appeler, vous allez voir.

— Quoi ? Votre mère sait que je suis ici ! s'exclama-t-elle, sidérée. Mais… Sait-elle que nous sommes mariés ?

— Oh, non ! Heureusement. Si elle savait que je me suis marié, elle accourrait aussitôt pour faire la connaissance de mon épouse. Je lui ai simplement dit qu'une proche amie à moi, qui, par hasard, se trouvait libre en ce moment, allait venir s'occuper de moi quelques jours.

— Vous avez beaucoup d'amies de telle sorte qui, « par hasard, se trouvent libres pour s'occuper de vous » ? ironisa Colly, piquée.

— Aucune qui vous arrive à la cheville, assura-t-il en clignant de l'œil de manière narquoise.

— J'espère que je dois entendre cela comme un compliment ?

— Vous le pouvez.

Et ils éclatèrent de rire.

— Il y a une dame qui vient s'occuper du ménage, des courses, de la cuisine et de tout le reste cinq matinées par semaine, expliqua Silas. C'est Mme Varley. Vous n'aurez donc pas à subir l'ennui des corvées ménagères. Elle a d'ailleurs fait des provisions et...

Il fut interrompu par la sonnerie du téléphone.

— Ah, c'est sûrement ma mère. Pouvez-vous répondre, Colly ? Dites-lui que je vais bien, rassurez-la sur mon compte.

— Vous ne voulez pas prendre vous-même la communication ?

— Grands dieux non, j'en aurais pour des heures !

Le téléphone continuait à sonner.

— Si vous ne décrochez pas, ma mère sera ici dans les vingt minutes ! avertit Silas.

Colly décrocha, hésitante.

— Allô ?

— Bonjour, je suis la maman de Silas, Paula Livingstone. Et vous, vous êtes Colly, n'est-ce pas ?

— Oui, confirma-t-elle.

— Je suis très heureuse de vous avoir au bout du fil. Si vous saviez l'inquiétude qui a été la nôtre lorsque notre pauvre Silas a été rapatrié en urgence ! Comment est-il aujourd'hui ? Est-ce qu'il reprend des couleurs ? Est-ce qu'il va mieux ?

— Oh, il va beaucoup mieux que la dernière fois que je l'ai vu, assura Colly d'une voix rassurante.

— Vous l'avez donc vu à l'hôpital ?

— Je l'ai vu un court moment, lorsqu'il se trouvait dans la chambre stérile.

— Mais je croyais que seule la famille était autorisée à ces visites ?

Colly, consternée, comprit qu'elle avait fait une gaffe. Silas la regardait en hochant la tête de manière accablée. Comment allait-elle rattraper l'erreur ?

Elle se mordit la lèvre et mentit de manière diplomatique :

— J'ai... J'ai beaucoup insisté pour le voir, expliqua-t-elle avec audace. Alors on m'a gentiment accordé le temps d'une brève visite...

— Hum, je comprends. En tous les cas, je suis très heureuse de votre présence auprès de lui. Si vous saviez comme je me sens rassurée !

— Voulez-vous lui dire un mot ? proposa courtoisement Colly.

— Non, je vous remercie. Il me gronderait et me reprocherait encore d'être une éternelle inquiète. Je viendrai le voir lorsqu'il ira mieux. N'hésitez pas à m'appeler s'il y a du nouveau ou si vous avez besoin de quoi que ce soit.

— C'est promis, assura Colly.

Elle raccrocha, se tourna vers Silas :

— On a évité la maladresse, n'est-ce pas ?

— Vous avez bien rattrapé les choses, dit-il, satisfait.

Il avait l'air très fatigué, à présent. Elle fut émue par la pâleur de son teint, la maigreur de son visage.

— Vous devriez vous mettre au lit, murmura-t-elle avec douceur.

Il se leva, non sans peine, et s'achemina difficilement vers sa chambre.

Lorsqu'il fut couché, sans qu'il ait pris la peine d'enlever ses vêtements, elle vint près de lui, toujours attendrie.

Dans un élan d'affection, elle se pencha sur lui pour lui baiser le front ; mais, au dernier moment, il se décala habilement de manière à ce que leurs lèvres se rencontrent.

Le baiser fut bref, tendre, ambigu et procura à Colly des sensations étranges et délicieuses.

— Le petit baiser fait partie des soins ? murmura-t-il d'une voix éraillée.

— Entendez-le comme vous voulez. Vous pouvez toujours vous dire que c'est votre mère qui vous a dorloté, vous a donné le baiser du soir, avant de dormir.

— Ma mère ? Ah non ! J'ai passé l'âge !

— Bonne nuit ! lança-t-elle à mi-voix.

Elle sortit de la chambre en se promettant de ne jamais, au grand jamais, commettre une nouvelle fois cette erreur. « N'oublie pas le contrat initial » pensa-t-elle, tourneboulée, mécontente de s'être laissée aller.

Dans la nuit, Colly se leva plusieurs fois pour s'assurer que Silas allait bien. Elle s'était installée dans une chambre non loin de la sienne. Lorsqu'elle entrait dans sa chambre à lui, elle marchait à pas de loup, prenant garde de ne pas l'éveiller. Elle voulait surtout éviter qu'il ne prenne froid. Au début de sa maladie, il avait souffert d'une forte fièvre, lui avait-on dit. Cette fièvre était tombée, mais des séquelles subsistaient et réapparaissaient, de temps à autre. Colly en était inquiète.

Elle se leva très tôt, le lendemain. A 5 heures. du matin, elle était déjà sur pied. Elle revêtit un peignoir et entra discrètement, sans un bruit, dans la chambre de Silas.

Dans l'ombre de la pièce, Silas était allongé sur le dos. Sans doute avait-il eu chaud dans la nuit, car la couette était repoussée.

Colly le contempla un moment, touchée par le spectacle qu'il offrait : un grand corps amaigri et pourtant de constitution puissante.

Comme elle faisait demi-tour, elle entendit derrière son dos la voix de Silas qui murmurait :

— Si jamais vous allez faire du thé...

Elle se retourna brusquement, surprise.

— Vous étiez réveillé ! gronda-t-elle, vexée. Vous faisiez semblant de dormir !...

— Vous êtes bien matinale, Colly. Vous avez assez dormi ? Est-ce que vous êtes toujours debout à 5 heures du matin ?

— Je suis debout dans certaines circonstances, railla-t-elle d'un ton espiègle. N'oubliez pas que je suis ici pour veiller sur vous.

— C'est un vrai privilège, assura-t-il, sincère, en s'asseyant sur son lit.

Ils prirent leur petit déjeuner ensemble, dans la cuisine, un peu plus tard, de manière joyeuse et détendue. Colly était profondément heureuse de cette étrange vie conjugale, qui n'en était pas une, à proprement parler, mais qui y ressemblait beaucoup. La seule différence avec une véritable vie de couple marié tenait simplement à un élément : l'un et l'autre faisaient lit à part.

Au fur et à mesure que les heures passèrent, ce jour-là, l'état de Silas sembla s'améliorer. Il passa de nombreux coups de téléphone, travailla une ou deux heures devant son ordinateur, tandis que Colly faisait des courses.

Au cours de la nuit qui suivit, Colly, après un premier sommeil profond et sans rêves, se réveilla brusquement. Elle regarda sa montre : il était 1 heure du matin ! Elle poussa un soupir ; elle était fatiguée, mais ne pouvait pas dormir. A 2 heures du matin, elle était toujours allongée sur son lit, les yeux grands ouverts. Elle se demandait si Silas allait bien. Dans la soirée, elle l'avait trouvé fatigué, les traits tirés. Elle lui avait ordonné de se coucher. Il avait obéi en souriant, sans insister.

A présent, comment était-il ? Colly craignait une rechute, une faiblesse. On le lui avait bien dit à l'hôpital : le rétablissement serait long et incertain. Inquiète, elle se leva et marcha sur la pointe des pieds jusqu'à sa chambre.

Sa lampe de chevet était allumée. Il était blotti dans son lit et frissonnait.

Alarmée, Colly murmura d'un ton inquiet :

— Pourquoi ne dormez-vous pas ? Oh, mais vous grelottez, mon pauvre Silas !... Je vais vous préparer une boisson chaude. Peut-être devrais-je appeler votre médecin...

— N'en faites rien. J'ai juste un peu de tremblote. Ce n'est rien. C'était bien pire à l'hôpital...

— Je reviens tout de suite.

Sans montrer son inquiétude, elle remonta la couette jusqu'à son visage et marcha d'un pas vif jusqu'à la cuisine. Pendant que l'eau bouillait, elle alla régler le thermostat de l'appartement de manière à ce que la chaleur augmente.

Elle se demanda s'il ne serait pas plus raisonnable d'appeler le médecin mais jugea préférable d'attendre encore une demi-heure.

— Buvez ça, ordonna-t-elle lorsqu'elle fut revenue dans la chambre.

Il obéit sans protester. Puis il laissa retomber sa tête sur l'oreiller.

— Allez vous coucher, Colly, murmura-t-il d'un ton faible. Je vais très bien à présent.

— Vous avez encore des frissons...

— Ça va passer.

Elle remonta la couette jusqu'à son nez.

— Essayez de vous détendre, conseilla-t-elle d'une voix étranglée par l'inquiétude.

Il continuait de claquer des dents. Elle s'était assise sur le bord du lit et avait posé la main sur son front brûlant. « Que dois-je faire, se lamentait-elle intérieurement, que puis-je faire ?... » Comme s'il avait lu dans ses pensées, il demanda dans un souffle :

— Allongez-vous près de moi, Colly, ça me réchauffera...

Elle s'étendit sans hésiter contre lui et posa la tête sur le deuxième oreiller. Elle était sur la couette et lui dessous, mais il n'empêchait que ce rapprochement se révélait assez troublant. Elle percevait les angles de son long corps à travers l'épaisseur de la couette. Il continuait à trembler de manière alarmante. Elle fut sur le point de se lever pour téléphoner à l'hôpital. Mais il se calma peu à peu.

— Vous me faites du bien, chuchota-t-il.

Elle restait blottie contre lui en essayant de le réchauffer, de le réconforter, de lui donner tout l'amour qu'elle portait en elle.

Peu à peu, elle sentit qu'il se détendait. Les frissons s'espacèrent.

74

Tandis que l'état de Silas s'améliorait, Colly se sentait gagnée par un irrépressible besoin de dormir.

Elle eut l'impression de sombrer dans un vaste trou noir, et, soudain, elle entendit une voix pleine d'entrain qui résonnait tout près de son oreille.

— Bonjour, madame Livingstone !

Elle ouvrit les yeux. Elle n'en croyait pas ses yeux : elle se trouvait *sous* la couette, avec Silas à sa droite ! Comment pouvait-elle se trouver dans cette position ?

— Pendant la nuit, la couette a glissé, expliqua Silas avec un large sourire. Vous dormiez à poings fermés. J'ai ramené la couette sur vous — plus exactement sur nous.

Les yeux d'un beau bleu sombre la fixaient avec une intensité nouvelle, avec une flamme qui la toucha. Colly comprit qu'il allait vraiment beaucoup mieux.

— On dirait que la santé revient ! murmura-t-elle, heureuse, en gardant son regard vissé dans le sien.

— J'en ai bien l'impression, répondit-il avec un sourire qui la fit fondre.

Ils se dévisagèrent un long moment sans proférer un mot, et, de manière quasi naturelle, il approcha son visage et l'embrassa. Elle accepta ce baiser tendre et chaud avec délice. Un picotement de bien-être parcourait son corps.

— Oui, murmura-t-elle à voix à peine audible lorsque leurs bouches se séparèrent, vous allez beaucoup, beaucoup mieux.

— C'est grâce à vous...

Elle tendit ses lèvres et ils s'embrassèrent encore, cette fois avec ardeur.

Il la serrait dans ses bras avec une fermeté étonnante chez un homme qui avait été si malade les jours précédents.

Pour la première fois, Colly se sentit éperdument amoureuse de lui.

Lorsqu'il desserra son étreinte, elle murmura, ravie :

— Ce n'est peut-être pas très bon pour vous de vous fatiguer ainsi...

— Si vous croyez que cela me fatigue ! railla-t-il avec une voix vibrante. C'est tout le contraire. Vous êtes la meilleure médecine qui puisse être.

Il se coucha sur elle, plein d'ardeur et de désir. Faire l'amour avec Silas, n'en avait-elle pas rêvé ? songea-t-elle en se laissant aller à une esquisse ivresse, tandis qu'elle sentait la virilité dressée de son compagnon sur son ventre. Plus rien ne la retiendrait de l'aimer, à présent.

Tandis qu'il la caressait avec douceur, elle sentit le désir l'enflammer. Spontanément, elle ouvrit les jambes et ferma les yeux, entièrement abandonnée à leur étreinte.

Leurs bouches se dévoraient. Colly était transportée dans un univers loin de tout, une sorte de paradis neuf, plein de promesses. Il caressait ses seins, en agaçait la pointe offerte de sa langue avide ; et soudain, Colly laissa échapper un gémissement :

— Oh... Oui, maintenant...

Mais au moment où leurs corps auraient pu s'unir, la sonnerie de la porte d'entrée retentit.

— Oh non ! s'exclama-t-elle, frustrée. Quelle heure est-il ?

— 8 h 30, grommela Silas.

Il avait l'air terriblement déçu, lui aussi.

76

Poussant un soupir de frustration, Colly se leva pour aller ouvrir.

— Elle a sa propre clé, dit Silas. Inutile de vous déranger.

— Mais pourquoi sonne-t-elle, alors ?

— Par pure politesse. Elle sonne, elle entre, elle s'occupe du ménage.

Il soupira et la regarda d'un regard brillant, les yeux encore remplis de passion.

— Elle n'est pas arrivée au meilleur moment, murmurat-il.

Tout étourdie d'amour, Colly se précipita dans sa chambre avant que Mme Varley n'occupe les lieux.

Tandis qu'elle prenait sa douche, elle songea à ce qui venait de se passer. Le mariage blanc avait failli prendre une belle couleur.

Elle se rappelait pourtant les termes de leur arrangement : il ne voulait pas d'épouse, et elle ne voulait pas de mari. Ils devaient vivre séparément. Il n'était même pas question qu'ils soient amis.

Mais ils avaient bien failli être amants.

Il aurait suffi d'un métro de retard, d'un embouteillage sur la route de Mme Varley, et le mariage aurait été définitivement et clairement consommé.

Colly devinait que cet épisode ne se renouvellerait pas. Elle le désirait, elle l'aimait, elle était folle de lui, mais elle savait qu'il était inutile de rêver. Silas avait été catégorique : « Il n'est pas question pour moi d'avoir une épouse. »

Elle allait donc reprendre la vie qui était la sienne. Maintenant que Silas était guéri — ou presque — elle pouvait rentrer chez elle.

Sitôt la douche terminée, elle s'habilla et fit promptement sa valise.

Cinq minutes plus tard elle tirait doucement, discrètement la porte derrière elle, le cœur meurtri de chagrin.

6.

Pendant plusieurs semaines, ils ne se virent pas, ne se téléphonèrent pas. Le seul geste de Silas, pour la remercier de s'être occupée de lui pendant ces quelques jours de convalescence, ce fut un grand bouquet de fleurs qu'il lui fit porter. La carte qui l'accompagnait se résumait à une simple ligne : « Merci, pour tout. Silas ».

Colly retomba dans sa solitude. Elle pensait que Silas était à présent guéri. Et ce n'est pas sans une certaine amertume qu'elle se rappelait tous les soins, tout l'amour qu'elle lui avait prodigué lorsqu'il était revenu de l'hôpital. « A présent, il n'a plus besoin de moi, et la règle du jeu initiale de notre mariage s'applique tout naturellement : il veut son indépendance. Je ne peux pas le lui reprocher », se disait-elle, amère.

Une vague connaissance à elle, Tony Andrews, qui était attaché de presse dans la communication, ne cessait de faire signe à Colly. A force d'insister, il parvint un jour à la persuader de venir dîner avec lui au restaurant. Pour Colly, ce dîner n'avait rien d'ambigu. Ce ne serait, ni plus ni moins, qu'un repas amical. Le cœur de Colly était pris et bien pris par Silas. C'était ainsi, et elle n'y pouvait rien, sinon essayer de ne pas trop penser à cet homme merveilleux — son mari.

Lorsqu'ils entrèrent dans le restaurant — un établissement très luxueux et de grande renommée —, la salle était pleine. On les conduisit à la table que Tony avait réservée.

A ce moment précis, Colly aperçut la haute silhouette de Silas qui venait d'arriver, lui aussi. Il l'avait vue, lui aussi. Son cœur se mit à battre à toute force dans sa poitrine. Cela faisait des semaines qu'elle ne l'avait vu. Il semblait tout à fait guéri.

Silas traversa la salle et arriva jusqu'à la table où venaient de s'asseoir Colly et son chevalier servant.

— Bonsoir, Colly, dit Silas en se penchant sur elle.

Il déposa un chaste baiser sur ses deux joues, d'une manière amicale et convenue.

Elle se sentit rougir. D'une voix étranglée, elle répondit par un banal « Bonsoir ». Le pouvoir de Silas sur elle était tel qu'elle se sentait engourdie, paralysée. L'homme qu'elle aimait à la folie, dans ses rêves, dans ses souvenirs, dans le quotidien de l'absence, réapparaissait soudain, et dans une situation plutôt délicate.

— Tout se passe bien, pour vous ? demanda-t-il avec bienveillance.

— Très bien, répondit-elle, bouleversée, le front brûlant, les mains moites. La maison de mon père a enfin été vendue.

L'information ne parut pas passionner Silas outre mesure. Il se tourna un instant vers l'homme qui accompagnait Colly, puis son regard revint se poser sur elle, avec une lueur de reproche.

— Vous ne nous présentez pas ?

Celui qui accompagnait Colly se présenta de lui-même :

— Tony Andrews, annonça-t-il en se levant.

— Silas Livingstone, dit Silas en tendant la main.

La mimique à la fois interloquée et admirative de Tony amusa un instant Colly. L'attaché de presse était manifestement ébahi d'être présenté au fameux Silas Livingstone.

Colly, qui se remettait peu à peu du choc de ces retrouvailles inattendues, demanda d'une voix polie :

— Etes-vous tout à fait remis, à présent, Silas ?

Il acquiesça d'un signe de tête et répondit avec un sourire courtois :

— Je vous remercie pour tous vos soins infirmiers, Colly. Vous avez été épatante.

— Je ne savais pas que vous possédiez *aussi* des talents d'infirmière, s'étonna naïvement Tony.

— Oh, Colly a beaucoup de talents, assura Silas. C'est grâce à elle que je me suis rétabli aussi vite.

— Silas a attrapé un parasite tropical, expliqua Colly en se tournant vers Tony. Les journaux en ont parlé çà et là.

— Oui, oui, j'ai lu cela, dit Tony, toujours très flatté de se trouver auprès d'un personnage d'un tel renom.

Silas s'en fut bientôt rejoindre la table où étaient installés ses amis, à l'autre bout de la salle.

Lorsqu'il eut disparu, Colly sentit une sorte de vide douloureux au creux de sa poitrine. Silas était là, et en même temps n'était plus là. De la même manière que dans sa vie. Cette situation eût été parfaitement vivable si Colly n'avait ressenti qu'une certaine amitié à l'égard de son mari officiel. Mais hélas, c'est un sentiment bien plus puissant qu'elle éprouvait pour Silas. Elle l'aimait, et elle n'y pouvait rien. C'était plus fort qu'elle.

Et cela rendait d'autant plus difficiles ses éventuelles relations avec d'autres hommes ; Tony Andrews par exemple. Ce dernier avait beau afficher son plus séduisant sourire, être aux petits soins pour elle, rien n'y faisait : elle demeurait parfaitement insensible à ses attentions.

Il téléphonait souvent à Colly. La plupart du temps, elle prétextait avoir quelque chose à faire, et l'envoyait gentiment promener. Et il insistait, téléphonait encore, l'invitait au restaurant. Elle s'esquivait, une nouvelle fois. Il rappelait encore, et encore, lui faisait toutes sortes de compliments, bien agréables à entendre, certes, mais lassants à la longue.

Ce soir-là, justement, Colly venait de passer un long moment au téléphone avec Tony Andrews, et n'avait pu se débarrasser de l'importun qu'au bout d'un long moment. Une minute après avoir raccroché, le téléphone sonna de nouveau.

— Il ne va pas remettre ça ! murmura-t-elle, exaspérée.

Elle décrocha et grommela un « allô » guère accueillant.

— Ah, vous en avez enfin terminé ! marmonna Silas, à l'autre bout du fil. Vous avez passé au moins une demi-heure au téléphone…

— Que voulez-vous ? Il y a des gens qui ont envie de me parler, répondit-elle d'un ton caustique.

— C'était encore ce Tony Andrews ?

— Lui-même.

Silas marqua le coup. Il resta silencieux une dizaine de secondes.

— Vous êtes là ? s'inquiéta Colly.

— Je suis là, maugréa-t-il, de mauvaise humeur. Et je vous rappelle que c'est *moi* qui vous ai épousée !

— Ah ça alors ! s'insurgea-t-elle. C'est le comble ! Je n'ai pas commis un adultère, si vous voulez le savoir ! Je ne vous ai pas trompé, moi !

— Et moi, croyez-vous que je n'aie pas respecté mes vœux ?

Colly fut estomaquée, mais secrètement heureuse de cette réplique tellement inattendue. Silas avait donc respecté les vœux traditionnels du mariage ? Il lui était donc resté « fidèle » ? C'était incroyable ! Mais s'il disait la vérité, ce qui semblait bien le cas, c'était tout bonnement merveilleux. Elle en concevait un plaisir intime et profond, qui enchantait tout son être.

— Je vous invite à dîner, Colly, reprit Silas au bout de quelques instants.

— Non, répondit-elle, prudente. Non merci.

Elle se reprit aussitôt et demanda, hésitante :

— Pourquoi une telle proposition ? Vous ne m'avez pas fait signe pendant des semaines, et voilà que vous m'invitez à dîner…

— J'ai peut-être quelque chose à vous proposer, fit-il, mystérieux.

Les propositions de Silas, elle les connaissait. Il avait d'abord proposé le mariage, puis il lui avait proposé de venir chez lui pendant sa convalescence… Et à quoi tout cela l'avait-il menée ? Finalement à rien !

— Merci pour cette nouvelle proposition, Silas. Mais c'est non, répondit-elle avec froideur.

Elle raccrocha sèchement.

L'instant d'après, elle regrettait amèrement l'animosité de sa réaction. Pourquoi s'être comportée de manière si agressive avec l'homme qu'elle aimait ?

En y réfléchissant, par la suite, elle mit cette impulsivité sur le compte de la passion qu'elle éprouvait encore et toujours pour Silas. Plus que jamais elle en était amoureuse. Oh, comme elle aurait souhaité qu'il l'emmène dîner ! Dieu, comme elle avait été maladroite !

Dans les jours qui suivirent, Silas ne donna pas signe de vie.

Tony Andrews, en revanche, nullement fatigué d'être régulièrement éconduit, ne cessait de revenir à la charge. Un jour, Colly céda. Après tout, pourquoi ne pas dîner avec lui ? Il pourrait ainsi se rendre compte qu'elle n'éprouvait rien pour lui.

Lorsqu'elle lui annonça qu'elle acceptait de dîner avec lui, il lança d'une voix tout heureuse et fébrile :

— Ce soir ? A quelle heure ? Chez vous, n'est-ce pas ? J'apporterai une bouteille !

Ce naïf avait compris qu'elle l'invitait chez elle, ce qui n'était absolument pas son intention. Il aurait été bien plus simple d'aller au restaurant. Elle trouva qu'il serait cavalier de sa part de lui dire qu'elle préférait le restaurant. Elle accepta donc de le recevoir.

— A quelle heure ? demanda-t-il d'une voix enjouée.

— Venez vers 20 heures.

A 19 h 30, il sonnait à la porte, brandissant sa bouteille d'un air hilare qui ne présageait rien de bon. Tendue, Colly le fit entrer.

Pendant le dîner, il s'extasia sur la nourriture qui n'avait pourtant rien d'extraordinaire : Colly n'avait pas souhaité faire d'efforts particuliers. Il essayait de capter son attention, de la séduire avec des mots d'esprit sans saveur, des histoires compliquées, sans grand intérêt. Colly l'écouta poliment, attendant avec impatience la fin du dîner.

Lorsqu'ils eurent fini de manger, Tony tint absolument à faire la vaisselle. Elle refusa d'abord, mais il insista tant qu'elle accepta.

Comme elle posait la pile d'assiettes dans le fond de l'évier, elle se figea soudain. Il l'avait subrepticement embrassée dans le cou. Elle se retourna, furieuse.

Il gloussait, les yeux brillants.

— Vous êtes tellement mignonne, vous savez...

Colly, inquiète, commençait à se sentir piégée. Elle comprenait qu'elle n'aurait jamais dû inviter cet individu chez elle.

Il tenta de l'embrasser. Elle se déroba en faisant un écart. Il insista. Elle protesta, gentiment d'abord, plus nettement ensuite. Il la saisit par la taille et la plaqua contre l'évier, de telle manière qu'elle ne puisse plus s'enfuir. Il posa sa bouche sur la sienne.

— Non ! cria-t-elle.

— Allons... Ne fais pas d'histoires... Juste un petit baiser, là...

Il la serrait contre lui. Elle se débattait comme un animal pris au piège.

— Non, non ! criait-elle, affolée par ce sauvage qui sentait le trop-plein de vin qu'il avait bu.

— C'est toi qui m'as invité dans ton appartement, non ? Il ne faut pas me prendre pour un idiot, hein ? Allez, laisse-toi faire... Tu me plais... on va s'amuser...

Le malotru était déchaîné, à présent. Colly se défendait comme elle le pouvait. Elle sentait qu'il était physiquement le plus fort. Comme elle commençait à paniquer, elle protesta d'une voix vive :

— Je ne suis pas libre... Je suis mariée !

Tony Andrews sembla soudain pétrifié. Il la dévisagea avec la stupéfaction la plus absolue.

— C'est vrai ? demanda-t-il d'une voix blanche.

Elle fit « oui » de la tête.

— Eh bien ça alors !… murmura-t-il en se grattant la tête. C'est incroyable… Pourquoi ne m'avez-vous rien dit ?

Sans réfléchir, Colly lança d'un ton précipité :

— Nous sommes en instance de divorce.

Tony parut rassuré.

— Alors, il n'y a pas de mal à…

Il s'approcha d'elle et l'enlaça langoureusement, avec une obscénité qui l'écœura. Il essayait d'insérer une jambe dans les siennes.

— Vous n'allez pas recommencer ! gronda-t-elle.

— Puisque vous êtes en instance de divorce…

Il avait plaqué son sale museau contre son cou et l'agrippait avec une trivialité odieuse…

— Lâchez-moi ! hurla-t-elle.

Mais il ne paraissait pas disposé à abandonner sa proie. Il donnait l'impression de vouloir fébrilement compenser toutes les frustrations qu'il avait subies, tous les refus auxquels il s'était heurté.

Il était redevenu une bête, incapable de se maîtriser. Colly sentit qu'elle se trouvait réellement en danger. Que faire ? Saisir une casserole, une poêle, et lui taper sur la tête ? Il était capable de se défendre avec encore plus de vigueur. Elle pensa à téléphoner à la police ; mais, bien sûr, il ne la laisserait pas faire. Il était hors de lui.

Comme il tentait encore une fois de plaquer son mufle contre le visage de Colly, celle-ci lança sa dernière défense d'un ton pathétique :

— C'est Silas Livingstone mon mari !

L'agresseur s'écarta brusquement, électrisé. Il recula de deux pas. Il semblait d'un coup avoir reçu un lourd fardeau sur les épaules. Son dos s'était voûté. La lèvre pendante, le regard incertain, il la dévisageait, hébété. Pour lui, la révélation que venait de lui faire Colly ne faisait pas de doute.

— Je comprends pourquoi il vous a parlé de cette manière, l'autre jour, au restaurant, murmura-t-il, défait. Lorsqu'il évoquait « l'infirmière », c'était à l'épouse qu'il faisait allusion, évidemment. J'aurais dû m'en douter. Et alors, maintenant, vous allez divorcer, mais pourquoi ?

Tony Andrews avait à présent retrouvé son état normal. L'air confus, il soupira :

— Je suis tout à fait désolé, Colly.

Elle avait retrouvé sa respiration. Pourtant elle n'était pas plus heureuse pour autant. Elle connaissait le métier de Tony Andrews, qui travaillait dans les relations publiques. Dans les jours qui venaient, tout le monde apprendrait par la presse que le célèbre Silas Livingstone était marié et qu'il était sur le point de divorcer. C'était la catastrophe !

— Je crois qu'il vaut mieux que vous partiez, à présent, murmura Colly, mortifiée.

Lorsque Tony Andrews eut passé la porte, accablée, la jeune femme se laissa choir dans un fauteuil de son salon. Certes involontairement, elle avait mis le feu aux poudres en avouant à Andrews qu'elle était l'épouse de Silas Livingstone. L'attaché de presse allait se faire un plaisir d'annoncer — voire de vendre — cette nouvelle. Les tabloïds infâmes dont les Anglais étaient si friands feraient leurs choux gras d'un tel scoop : « Le mariage secret de Silas Livingstone » ou : « Les secrets du divorce de Silas Livingstone ».

Atterrée, Colly s'était pris la tête dans les mains et tentait de réfléchir.

Après quelques minutes, sa décision était prise : il fallait dire à Silas ce qui venait de se passer. Il serait fou furieux, très certainement... Mais elle ne pouvait pas ne pas lui avouer sa faute.

Nerveusement, elle composa le numéro de Silas, chez lui. Il était bientôt minuit, et elle espérait qu'il était encore réveillé. Dès qu'il décrocha, elle débita d'un trait, sans reprendre sa respiration :

— Oh, Silas, il arrive quelque chose de très ennuyeux, je voulais absolument vous en parler, comprenez-vous, cela ne pouvait pas attendre...

Elle eut une petite toux qui interrompit son flot de paroles, une sorte de chat dans la gorge à cause de sa nervosité.

— Ça m'a l'air sérieux, commenta calmement Silas.

— Je peux venir ? Vous n'êtes pas encore couché ?

— Je vous attends.

Lorsqu'elle arriva, Silas était habillé.

— Je n'allais pas vous recevoir en robe de chambre, dit-il avec un sourire réconfortant, devant le regard surpris de Colly. Venez vous asseoir. Que se passe-t-il ?

Ils marchèrent jusqu'au salon. Elle s'affaissa dans le premier fauteuil.

— Oh, Silas, gémit-elle. C'est affreux ! J'avais invité — bien malgré moi — un ami à dîner ce soir, et...

— Chez vous ? coupa-t-il, abrupt.

— Oui, avoua-t-elle d'un ton penaud. Je ne souhaitais pas qu'il vienne, mais il a tellement insisté...

— Qui est-ce ? grommela Silas, la mine sombre. Tony Andrews ?

— Oui.

Une grimace passagère passa sur le beau visage de Silas. Il demeura un moment sans rien dire, puis reprit avec impassibilité, tout en la considérant d'un œil étonnamment tranquille :

— Et ce monsieur ne s'est pas très bien conduit, j'imagine…

— En effet. Il a mal compris l'invitation qu'il a prise pour… pour…

— … Pour une invitation intime ?

— Voilà, dit-elle, le rouge aux joues. C'est cela. Il s'est fait des idées, il a commencé à vouloir flirter, j'ai protesté, il a mal pris la chose…

Elle s'arrêta, toute chamboulée.

— Et ? murmura Silas, un sourcil levé.

— Et j'ai dû le menacer. Je lui ai dit que j'étais mariée… Je… je me suis embrouillée… « sur le point de divorcer », ai-je expliqué absurdement. J'ai craqué, j'ai fini par lui dire que nous étions mariés, vous et moi. Mais le pire, dans cette histoire, est que Tony… travaille comme attaché de presse !

Silas se pinçait le menton, très perplexe. Il se leva, marcha dans la pièce, en silence, se rassit, sans un geste d'énervement, sans avoir l'air en colère.

Il avait simplement l'air soucieux, très songeur.

Assise sur le bord de son siège, les épaules rentrées, Colly contemplait fixement la moquette, le cerveau en feu. Elle n'en menait pas large. Elle était consciente de la double maladresse qui avait été la sienne : dans un premier temps inviter chez elle cet énergumène, puis lui avouer qu'elle était mariée à Silas Livingstone, et *en instance de divorce*, ce qui était le plus préoccupant.

— Pensez-vous que ce Tony Andrews aille raconter ce qu'il a appris à la grande presse ? demanda Silas après un long moment de réflexion.

— On peut tout imaginer, murmura-t-elle, livide. Je crains qu'il n'aille vendre sa salade à un journal à sensation. Voulez-vous que je lui téléphone afin de...

— Non. N'en faites rien, marmonna-t-il avec détermination. Je vous demanderai simplement, si vous le voulez bien, de ne plus jamais revoir ce monsieur.

— Oh, je n'ai aucune envie de le revoir ou de l'entendre, assura-t-elle, sincère. Je ne veux plus entendre parler de lui.

— Bien.

Il se leva une nouvelle fois. Il semblait animé par une détermination mûrement réfléchie.

— Voilà ce que je vais faire, annonça-t-il, tout réjoui. Le temps de l'annonce officielle est venu. Si je veux garder la direction de Livingstone Developments, il faut que je parle clair.

— Que voulez-vous dire ? articula-t-elle, la gorge serrée.

— Je vais annoncer à ma famille, à la presse, que nous sommes mariés, vous et moi. Et que nous vivons un mariage très heureux. Qu'en pensez-vous ?

Colly, stupéfaite par ce qu'elle venait d'entendre, se demandait si elle ne rêvait pas. Le mariage initial, qui devait rester secret, allait être révélé à tout le monde ! Mais cela changeait complètement les choses ! Elle ne savait pas quelles complications cela risquait d'engendrer, mais elle acceptait ces dernières à l'avance, sachant que tout cela arrivait par sa faute.

— Je dois partir pour un bref voyage d'affaires à Rome, et je vais d'abord annoncer la nouvelle à mon père, poursuivit Silas, toujours très remonté. Puis à mon grand-père. Je vous ferai signe lorsque je serai revenu de cette brève mission en Italie.

Il marqua une pause et ajouta en plongeant ses yeux d'un bleu si profond dans les siens.

— Vous êtes d'accord, Colly ?

Elle hésita une ou deux secondes, terriblement remuée, puis articula lentement :

— Je suis d'accord, Silas, assura-t-elle en soutenant sans faiblir le regard intense et bienveillant dont il la couvait.

7.

Au cours des quarante-huit heures qui suivirent, Colly acheta l'ensemble de la presse et examina de près les journaux. Aucun ne faisait allusion, de près ou de loin, au mariage de Silas Livingstone et de Colombine Gillingham. Elle fut tentée de téléphoner à Tony Andrews pour lui demander s'il avait prévenu la presse, ou s'il avait l'intention de le faire. Mais elle se ravisa. Il était plus prudent de ne pas se manifester : elle se méfiait de cet individu, d'autant plus dangereux, à présent, qu'il avait été un amoureux éconduit. L'amour déçu conduit parfois à des actes insensés. Elle le savait capable du pire.

Quant à Silas, il n'avait pas donné de nouvelles depuis la nuit où il avait annoncé qu'il était décidé à ne plus garder leur mariage secret. Il avait vaguement parlé de voyage en Italie, mais n'avait pas précisé les dates. Se trouvait-il encore dans ce pays ? Bizarrement, il n'avait pas téléphoné à Colly. Elle s'inquiétait de ce manque de nouvelles.

En fin de soirée de cette même journée, durant laquelle elle avait épluché la presse tout en ne cessant de tourner en rond avec angoisse dans son appartement, se demandant comment les choses allaient bien pouvoir évoluer, elle entendit trois petits coups frappés à sa porte. Elle se précipita pour ouvrir, le cœur battant. Car elle avait l'intuition que son visiteur n'était autre que Silas ! Cette manière de frapper si discrètement n'appartenait qu'à lui. En trois bonds elle fut à la porte et l'ouvrit à toute volée.

En effet, c'était lui.

Elle était tellement heureuse de son retour, de sa présence si merveilleuse, si magique, qu'elle n'en trouvait plus ses mots.

— Bonsoir, articula-t-elle d'une voix rauque, éraillée. Elle avait le souffle court. Vous arrivez directement de l'aéroport ?

Elle s'effaça pour le laisser entrer.

— Non, j'ai eu le temps de passer au bureau, répondit-il du ton las de celui qui a eu une journée très remplie, trop chargée.

— Vous avez dîné ? demanda-t-elle, soucieuse.

— Oui, un dîner rapide. Mais je prendrais bien volontiers un café — si vous me l'offrez.

— Je vous l'offre ! lança-t-elle avec un rire joyeux.

Détendue, elle se dirigea aussitôt vers la cuisine, et il la suivit machinalement.

— Pas de nouvelles d'Andrews ? s'enquit-il d'un ton dégagé.

— Aucune, répondit-elle tandis qu'elle branchait la machine à café. Mais cela n'a rien d'étonnant. Désormais, il fera tout pour me fuir.

Il esquissa un sourire ironique, songeur.

Colly préparait le plateau à café. Elle y posa les tasses, le sucrier, la cafetière, qui était pleine à présent.

— J'ai vraiment été maladroite, avec Tony, murmura-t-elle, embarrassée. Si vous saviez comme je m'en veux !

— Allons, ne vous tracassez pas. Finalement, tout est pour le mieux. Passez-moi le plateau, je vais le porter jusqu'au salon. J'ai des choses à vous dire !

Silas s'installa dans un fauteuil, et elle prit place sur le canapé, juste à côté. Elle était très intriguée par ce que venait de dire Silas. Elle allait enfin savoir de quelle manière il avait décidé de réagir à la menace de Tony.

Ils sirotèrent d'abord leur café sans mot dire. Colly, très impatiente, attendait que Silas prenne enfin la parole. Les battements de son cœur s'étaient accélérés.

— Voilà ce que j'ai décidé, Colly, commença-t-il d'une voix calme après avoir reposé sa tasse sur le plateau.

Il croisa ses longues jambes et poursuivit du même ton tranquille :

— Demain, il y aura des communiqués, des articles dans la presse à propos de nous. J'ai préféré prendre les devants et j'ai demandé à mon service de presse de faire savoir que nous nous sommes mariés, il y a quelque temps. Ce mariage s'est fait dans la plus grande discrétion à cause de la mort récente de votre père.

— Mais... Avez-vous déjà prévenu vos parents ? s'inquiéta Colly, très remuée par la décision de Silas.

— J'ai téléphoné hier à mon père, et ma mère a naturellement essayé de me joindre. Elle m'a appelé à mon hôtel, en Italie, mais je n'étais pas là, et...

— Comment prennent-ils la chose ? interrompit-elle, anxieuse. Ils n'ont même pas été invités à la cérémonie. Il y a de quoi être pour le moins amer !

— Figurez-vous qu'ils sont enchantés, l'un et l'autre.

— Non ?

— Si, je vous assure. Ma mère se souvient de la conversation téléphonique qu'elle a échangée avec vous lorsque je suis revenu de l'hôpital. Elle vous trouve charmante, elle aime votre voix, votre personnalité... Quant à mon père, il est tout simplement aux anges : enfin son fils a consenti à se marier. Il est bien conscient de l'importance de cet événement : cela signifie que l'entreprise familiale va pouvoir demeurer sur des bases saines, avec une direction pleinement responsable. Et puis... ajouta-t-il après une courte pause.

Il s'interrompit.

— Et puis ?... reprit-elle, intriguée, en l'encourageant par le ton de sa voix.

— Et puis il est satisfait de me voir heureux, confia-t-il avec un sourire bref et pudique.

Ils restèrent un long moment sans parler. Ce que venait d'annoncer Silas pouvait être compris de deux manières : il était heureux parce qu'il était certain de garder la direction de l'entreprise ; ou bien il était heureux de ce mariage qui prenait une tournure nouvelle, officielle en quelque sorte, et par là plus ouverte.

Colly, par discrétion, n'osa demander la véritable raison de ce bonheur.

Elle alla porter le plateau dans la cuisine, revint s'asseoir, s'éclaircit la gorge et interrogea du ton le plus détaché possible :

— Est-ce que vos parents ont mis votre grand-père au courant ?

— Oui. Et mon grand-père est ravi. Dès qu'il a appris la nouvelle, il a tenu absolument à vous rencontrer.

— Oh... murmura-t-elle, intimidée à l'avance.

— Il nous invite ce week-end, poursuivit Silas d'un ton débonnaire.

Colly eut l'impression que ses forces l'abandonnaient. Entrer ainsi dans une famille, en quelque sorte par la petite porte, l'effarouchait au plus haut point. Elle allait donc faire la connaissance, non seulement du père et de la mère de Silas, mais également de son grand-père ! A cette perspective, elle se sentait prise d'un vertige. Saurait-elle se montrer à la hauteur ? Comment allait-elle être accueillie ? Silas n'exagérait-il pas en assurant que ses parents étaient vraiment heureux de ce mariage secret ?

Elle avait l'impression que l'oxygène lui manquait. La poitrine oppressée, elle devinait qu'elle allait bientôt se retrouver dans l'une des situations les plus délicates de son existence.

— Ce week-end ? répéta-t-elle d'une voix faible. Déjà ! Vous voulez dire que nous allons passer *tout* le week-end chez votre grand-père ?

— Vous savez, il est très seul depuis la disparition de ma grand-mère. Il a besoin d'être entouré, mais aussi de recevoir des visites familiales, de temps à autre. Je lui ai dit que nous viendrions samedi matin. Il avait proposé, au départ, le vendredi soir. Nous n'aurons donc qu'une nuit à passer chez lui.

« Une nuit ! pensa-t-elle, désemparée. Mais comment ce séjour s'organisera-t-il ? Devrai-je dormir dans la même chambre ? Oh oui, certainement, car les jeunes mariés dorment ensemble, et Silas va vouloir faire valoir aux yeux de ses parents l'image du couple heureux, du couple parfait... »

Songeuse et soucieuse, Colly se disait que ce mariage, qu'elle avait d'abord accepté malgré elle, devenait de plus en plus difficile à vivre... et à jouer ! En premier lieu, elle allait devoir affronter une famille inconnue, dans laquelle on l'avait introduite subrepticement ; en second lieu, et ce qui compliquait encore bien plus son existence, elle était amoureuse de Silas. Amoureuse d'un homme dont elle ne devrait pas être amoureuse, puisque telle était la convention de départ : un mariage purement formel.

— Il va falloir que...

Silas avait repris la parole, et elle sursauta, saisie dans ses réflexions.

— Il va falloir que vous fassiez connaissance de mes parents au plus tôt, expliqua-t-il en décroisant les jambes d'un mouvement souple. Ils seraient malheureux et vexés, s'ils étaient les derniers à vous connaître.

Colly se mordilla nerveusement la lèvre. Dans trois jours, samedi, ils devaient se rendre chez le grand-père de Silas. Cela ne laissait pas beaucoup de temps pour se préparer à cette rencontre cruciale avec M. et Mme Livingstone père et mère. « Mes beaux-parents ! » se dit-elle intérieurement, perplexe.

— Tout cela devient de plus en plus compliqué, marmonna-t-elle en soupirant.

— Qu'est-ce qui est compliqué ? demanda-t-il avec un sourire plein d'optimisme.

— Pourquoi ne pourrions-nous pas avouer à vos parents la vérité : nous sommes mariés, mais c'est uniquement parce que...

— Non. Ils se verraient alors dans l'obligation de devoir mentir à mon grand-père, et cela les mettrait dans une situation impossible, à cause de moi. C'est moi qui ai décidé ce mariage qui nous unit, et c'est à moi de l'assumer.

— Mais je n'aime pas mentir, protesta-t-elle, dépitée. Je n'aime pas tromper les gens, ni les décevoir.

— Les décevoir ? Il n'en est pas question. Mon grand-père souhaite rencontrer ma femme — vous, Colly. *Vous êtes* ma femme.

97

« Vous êtes ma femme. » Oh, comme ces mots avaient le pouvoir de la faire vibrer ! Ils lui allaient droit au cœur, pour l'animer d'un sentiment jubilatoire.

Pourtant, malgré tout le pouvoir et le charme de ces mots, Colly demeurait sur la défensive : elle avait parfois le sentiment d'être un pion, une pièce d'un jeu d'échecs, que l'on pousse sur la case adéquate afin d'obtenir la victoire. Cette fois-ci, on venait de la pousser sur la case « famille ». Elle se rebellait contre cette manière qu'avait Silas de la guider, de la diriger, cette manière de jouer d'elle comme il lui semblait. C'était son instinct de femme libre qui se révoltait.

— Je ne suis pas votre chose, finit-elle par grommeler avec humeur. Et je n'ai pas donné mon accord, au départ, pour une telle évolution de notre mariage qui ne devait — souvenez-vous en — rester que formel. A présent, voilà que vous m'imposez votre famille !

Comme elle s'arrêtait, étonnée d'elle-même pour avoir osé une telle rébellion, il la considéra, sévère, avec un éclat dur et froid dans le regard.

— Si nous en sommes là, c'est bien parce que vous l'avez voulu, souffla-t-il sur un ton glacial. Vous avez commis une maladresse auprès de votre Andrews, nous sommes bien obligés de devoir y remédier.

Il avait raison, elle le savait. Si elle avait évité d'inviter Tony chez elle, si elle n'avait pas craqué en avouant qu'elle était la femme de Silas Livingstone, ils n'en seraient pas là. Elle était la première responsable de ce changement de cap à cent quate-vingt degrés dans leur relation.

Oui, il fallait bien assumer ce fait : qu'elle le veuille ou non, elle *était* à présent, officiellement, Mme Colly Livingstone.

Elle poussa un long soupir puis, demanda d'une voix enfin apaisée :

— Quand voulez-vous que je rencontre vos parents ?

L'expression dure et hostile qui avait été celle de Silas jusqu'à cet instant se transforma subitement. Ses traits se détendirent. La lueur si tranchante de son regard s'adoucit et se transforma en une lumière dansante et gaie qui était celle de son visage habituel.

— Je les ai invités à dîner demain soir.

— Chez vous ? s'exclama-t-elle, stupéfiée.

— Chez *nous*, rectifia-t-il avec un sourire malicieux.

— Vous ne voulez tout de même pas que je déménage pour m'installer chez vous ? protesta-t-elle, alarmée.

— Rassurez-vous. Il s'agit simplement d'offrir à ma famille l'image rassurante d'un couple heureux et uni, comme le sont habituellement tous les jeunes mariés. Vous ne viendrez chez moi que pour ce dîner.

— Est-ce que je vais devoir faire la cuisine ?

— Non, rassurez-vous. Mme Varley va s'occuper du dîner. Tout ce que vous avez à faire, c'est venir vers 18 heures. Mes parents m'ont dit qu'ils viendraient à 19 heures. Cela nous laisse une marge de sécurité.

— Mais 18 heures, c'est très tôt, pour vous, Silas, non ? D'habitude, vous êtes encore au travail, à cette heure-là. Parviendrez-vous à vous libérer si tôt dans la soirée ?

— Je me suis débrouillé. J'ai annulé ou décalé deux ou trois rendez-vous.

Colly comprenait à quel point la vie de Silas, tant familiale que professionnelle, venait d'être déstabilisée. Elle savait que c'était elle qui était à l'origine de ces changements drastiques.

Elle secoua en soupirant la tête de droite à gauche, dans un geste qui trahissait son tracas et son amertume.

— J'ai l'impression d'avoir tout mis sens dessus dessous, murmura-t-elle, morose.

Silas se leva, vint s'asseoir près d'elle et mit ses bras autour de ses épaules de manière affectueuse, protectrice, avant de murmurer doucement :

— Ne vous inquiétez pas, Colly. En définitive, ce qui s'est passé arrive à point. Je suis même très content de la tournure que vient de prendre notre accord.

Le cœur battant, émue de le sentir tout contre elle, Colly tourna la tête, intriguée.

— Je ne comprends pas, avoua-t-elle tandis qu'elle essayait de déchiffrer l'étrange expression de son regard.

Manifestement, Silas rayonnait sous l'effet d'une satisfaction profonde.

— Je vais vous expliquer, dit-il d'une voix pleine d'entrain et de bienveillance. Il y a quelque temps, à l'époque où nous venions de nous rencontrer, vous et moi, mon père m'a un jour demandé si j'étais bien conscient de l'importance de la décision de mon grand-père. Je lui ai confié alors que j'avais quelqu'un en vue...

— Cette personne, c'était moi ?

— C'était vous, Colly. J'ai très vite deviné que je pouvais vous faire confiance. Je n'avais pas encore pris ma décision, mais je savais que si je devais épouser quelqu'un — même pour remplir une formalité imposée —, ce serait vous.

Il lui avait pris la main et la serrait dans la sienne, ce qui enchantait secrètement Colly.

— C'est vous que j'ai choisie, Colly, déclara-t-il à mi-voix.

100

Heureuse et bouleversée d'entendre une déclaration si généreuse, si encourageante, elle rougit, et baissa timidement les yeux.

— Et puis, nous nous sommes mariés, conclut-il avec un sourire plein de sollicitude. Alors, cette révélation de notre mariage à mes parents entre dans une logique limpide. Ils savent que vous êtes venue à l'hôpital, que vous occupez avec moi le petit appartement familial, et ne s'étonneront donc pas du fait que vous soyez ma femme.

— Mais ils ont été probablement froissés de ne pas avoir été invités à la cérémonie ?

— Lorsqu'ils ont appris votre nom de jeune fille : « Gillingham », ils ont aussitôt fait le rapprochement avec votre père. Mon père connaissait le vôtre et avait de l'estime pour lui. Il était d'ailleurs présent à l'enterrement. Mes parents ont donc très bien compris que nous ne voulions pas de mariage en grande pompe après la disparition si récente de votre père. Ils ont tout à fait admis et compris ce mariage discret.

Colly se passa nerveusement la main sur le front. Elle réfléchissait intensément. Elle songeait à ce dîner du lendemain, à cette rencontre qui allait probablement s'avérer décisive.

— Croyez-vous que vos parents pensent que nous avons fait un mariage d'amour ? demanda-t-elle, la gorge serrée.

— Oh, j'en suis sûr ! Ma mère ne pourrait imaginer une seconde que la femme que j'ai épousée ne soit pas éperdument amoureuse de moi !

Il eut un rire léger, gai comme un matin de printemps. Colly pensait qu'en effet, il n'était pas possible de ne pas être amoureuse de cet homme. Mais cela, elle ne pouvait le lui avouer… Ce qui la tracassait, c'était l'attitude qu'elle allait devoir prendre en public avec Silas. Allait-elle devoir jouer à la jeune mariée follement amoureuse ? Ou bien devrait-elle se tenir à une certaine distance ?

— De quelle manière souhaitez-vous que je me comporte lorsque nous serons vous et moi devant vos parents ? s'enquit-elle avec appréhension.

Devant la mine effarouchée de Colly, Silas répondit sur le ton de la plaisanterie :

— Lorsque votre cœur débordera d'amour et bondira d'impatience, je ne vous en voudrai pas si vous me faites un petit baiser ! s'exclama-t-il en riant.

Elle esquissa un sourire tendu.

— Vous êtes un peu nerveuse à cause de demain ? dit-il en la scrutant de manière affectueuse.

Evitant de dévoiler son trouble, elle soupira :

— Un peu nerveuse, oui.

Dans un élan de tendresse, il la serra contre lui.

— Il ne faut pas, murmura-t-il à son oreille. Ne vous angoissez pas. Vous allez voir : tout va bien se passer. Mes parents vont vous adorer. Il vous suffira d'être simplement vous-même.

Elle eût aimé le croire sur parole. Mais le problème était qu'elle ne savait même plus qui elle était, elle ne savait plus ce qu'elle était. Les événements s'étaient bousculés si vite depuis quelques semaines ! Elle se sentait particulièrement fragile, vulnérable.

Il y avait d'abord eu la mort de son cher père, qui avait donné un premier coup de boutoir — et pas le moindre — à son équilibre. Puis, elle avait dû subir cet affrontement avec sa belle-mère, qui ne l'avait pas épargnée. A cela s'étaient ajoutés les problèmes d'argent, de logement… Elle avait alors rencontré Silas, et accepté cet étrange mariage. Mais le plus bouleversant était venu par la suite : de manière aussi violente qu'inattendue, elle était tombée amoureuse de Silas, ce qui n'avait fait que compliquer les choses ! Et voici à présent qu'elle allait devoir rencontrer la famille de Silas : père, mère et grand-père... Il y avait de quoi être, pour le moins, déstabilisée.

— Tout cela s'est passé tellement vite, soupira-t-elle en posant sa tête contre l'épaule solide.

Elle aurait voulu pleurer à chaudes larmes contre lui, sangloter, crier son désarroi. Mais elle se retenait. Elle ne pouvait pas se permettre ce relâchement.

— Je vous raccompagne, déclara-t-elle brusquement. Il est tard.

Elle le conduisit jusqu'à la porte et, lorsqu'elle fut enfin seule, elle donna libre cours à ses sanglots — des larmes qui venaient de loin, d'une zone obscure enfouie au plus profond d'elle-même.

8.

Cette nuit-là, Colly eut de la peine à trouver le sommeil. Elle pensait au dîner qui allait avoir lieu le lendemain, et elle imaginait les pires catastrophes. Les scénarios les plus tragiques défilaient dans son esprit. Les parents de Silas n'allaient pas l'aimer... Ils allaient pressentir la supercherie de leur mariage... Ils allaient partir en claquant la porte... Les situations les plus épouvantables se dessinaient sur l'écran de son imaginaire, dans l'obscurité de l'interminable nuit d'insomnie.

Et puis, au petit matin, après s'être tournée et retournée cent fois dans son lit, Colly fut prise d'une subite révélation qui mit instantanément fin à ses inquiétudes : après tout, elle n'était pas seule dans cette sinistre farce ! Silas serait auprès d'elle, et c'était l'essentiel. Rassurée, confiante, elle s'endormit alors enfin.

En prenant sa douche, dans la matinée qui suivit, elle avait presque oublié ce dîner avec ses beaux-parents. Sous la douche revigorante qui éclaboussait ses cheveux, elle rêvait à ce fameux week-end dans le Dorset, chez le grand-père de Silas.

La question, à laquelle elle avait déjà pensé, mais qu'elle avait quelque peu oubliée était la suivante : où allait-elle dormir lors de leur séjour chez le vieux M. Livingstone ?

On n'allait certainement pas leur proposer des chambres à part. Il allait donc falloir qu'elle dorme dans la même chambre que Silas, ce qui la préoccupait passablement.

Elle sortit de la douche, hantée par ce nouveau problème.

Comme elle s'habillait, soucieuse et perdue dans ses réflexions, le téléphone sonna.

C'était Henry Warren, son oncle d'adoption, son cher vieux protecteur et ami, et la jeune femme fut heureuse d'entendre sa voix bienveillante.

— Tu nous as fait des cachotteries ! plaisanta Henry sur un mode taquin.

— Oh, oncle Henry ! Je parie que tu viens de lire les journaux.

— Cette histoire de mariage, c'est vrai ?

— Oui, oncle Henry.

Colly comprenait que les communiqués de presse transmis aux journaux par les soins du service de presse de Silas venaient de donner lieu à une série d'articles. Comme Silas l'avait souhaité, l'annonce de leur mariage était donnée, avec toutes les explications d'usage qu'il avait soigneusement définies afin d'éviter tout scandale, tout remous : le mariage s'était déroulé dans la plus stricte intimité en raison du deuil qui venait de frapper la jeune mariée. De cette manière, Tony Andrews se voyait privé du scandale qu'il eût tant aimé provoquer. En agissant de la sorte, Silas avait très intelligemment manœuvré. Sa réputation et celle de Colly étaient préservées. Quoi de plus normal qu'un mariage discret dans une période de deuil ?

— Je suis désolé, oncle Henry, je ne t'ai pas prévenu. Pardonne-moi, tu sais combien je tiens à toi, mais… Tout s'est passé tellement vite, tout s'est tellement bousculé…

Figure-toi que même les parents de Silas n'ont pas été invités.

— Je comprends, ma chérie. Mais où as-tu rencontré ton mari ?

— Aux funérailles de papa. Silas était là. C'est là que nous nous sommes vus pour la première fois.

— Et ce petit appartement où tu habitais, à qui appartient-il ?

— Au grand-père de Silas. Il nous l'a gentiment prêté. C'est bien commode pour Silas lorsqu'il revient d'un voyage à l'étranger. L'aéroport n'est pas très loin. Mais il possède naturellement son propre appartement, bien plus grand…

— Là où vous habitez ?

— Oui… Enfin… Pas toujours… Cela dépend des voyages de Silas… Je suis parfois dans le petit appartement…

Colly détestait donner ce genre d'explications, et mentait très mal. Mais elle n'avait pas le choix. Il fallait bien respecter l'accord de base qui était le leur, Silas et elle. Il n'était pas question d'avouer la véritable nature du mariage conclu avec Silas. Même à un homme aussi proche et aussi aimé que l'oncle Henry. Elle avait donné sa parole, elle ne pouvait pas revenir là-dessus.

— Je te souhaite beaucoup de bonheur, déclara Henry Warren à la fin de leur conversation téléphonique.

— Merci, oncle Henry, répondit-elle, touchée par l'éternelle gentillesse de son protecteur.

Elle raccrocha, honteuse, mais soulagée d'en avoir fini avec un moment si désagréable.

Au milieu de l'après-midi, Colly se mit à penser sérieusement au dîner de la soirée. Elle allait donc faire la connaissance de ses beaux-parents ! C'était si insolite qu'elle ressentait une sorte de vertige. « Je dois rêver », se disait-elle parfois.

Mais elle ne rêvait pas. Il fallait à présent choisir une tenue pour la soirée. Elle passa en revue les robes qui étaient rangées dans ses placards, hésita, et finit par choisir un ensemble émeraude, de soie, qui lui allait particulièrement bien.

Sur la route, elle s'arrêta chez un fleuriste et demanda que l'on confectionne un beau bouquet mélangé.

Elle arriva avec un quart d'heure d'avance.

En sonnant à la porte de Silas, elle se demandait qui allait lui ouvrir la porte : Silas ou Mme Varley.

Ce fut Silas.

Il avait dit qu'il ferait en sorte de quitter de bonne heure son travail, et il avait tenu parole. Elle le trouva d'une élégance charmante. Elle remarqua que son regard s'attardait sur elle de manière admirative.

— Vous êtes magnifique ! dit-il, sincère.

Ses yeux brillaient d'une ardeur qui la troubla.

— Vous n'êtes pas mal non plus, répondit-elle en riant. Vous êtes même superbe !

Elle était touchée par la satisfaction de Silas de la voir aussi belle. C'était encourageant. Cela lui donnait l'énergie nécessaire pour affronter la soirée.

— Quel beau vert, murmura Silas, comme cela vous va bien !…

Flattée par le compliment, elle baissa les yeux.

Silas fixait le bouquet de fleurs d'un air indécis. Evidemment, se dit-elle, il n'a pas l'habitude qu'on lui apporte des fleurs. Il n'avait pas osé la remercier d'un : « C'est vraiment gentil à vous… », laissant ainsi entendre que ces fleurs pouvaient être à la fois les siennes à elle, et les siennes, pour lui, pour son appartement.

— Je crois qu'elles ont besoin d'eau, déclara finalement Colly. Savez-vous où se trouvent les vases ?

Silas indiqua d'un haussement de sourcils qu'il n'en avait aucune idée.

— Je vais essayer de trouver, assura-t-elle en souriant.

Dans la cuisine, Mme Varley était en train de préparer le saumon fumé qui allait servir d'entrée. Elle l'avait déposé sur un grand plat de porcelaine de Limoges céladon, et le garnissait d'herbes diverses lorsqu'elle les aperçut.

— Oh, bonjour, madame Livingstone ! s'exclama-t-elle en se redressant avec un sourire radieux.

Colly n'avait pas l'habitude d'être appelée ainsi. La formulation la dérouta.

— Monsieur Silas m'a mise au courant, pour votre mariage, reprit-elle sur un ton vibrant. Toutes mes félicitations. Vous allez être très heureux, tous les deux, j'en suis certaine !

Mme Varley eut un nouveau sourire, jusqu'aux oreilles. Elle paraissait réellement enchantée de ce mariage.

— Merci, dit Colly, qui ne savait pas vraiment quoi dire. Cela ne vous ennuie pas si j'arrange les fleurs dans la cuisine ?

— Faites donc, je vous en prie, madame Livingstone !

Il ne fallut pas longtemps à Colly pour mettre le bouquet dans le vase et pour le disposer de manière raffinée. Tandis qu'elle déplaçait du bout du doigt les dernières fleurs, elle songea qu'elle avait eu raison de venir avec un peu d'avance.

Lorsqu'elle eut porté le bouquet jusqu'au salon, elle se sentit de nouveau reprise par l'appréhension : saurait-elle se montrer une épouse à la hauteur ?

Elle pressait ses mains avec nervosité l'une contre l'autre, en les serrant spasmodiquement.

108

Lorsqu'elle revint dans la cuisine, elle demanda à Mme Varley si elle avait besoin d'aide. Comme on lui répondit que tout était prêt, elle marcha jusqu'à la salle de bains et vérifia une fois de plus son maquillage. Elle se donna un léger coup de peigne et, tandis qu'elle observait dans la glace son visage marqué par l'inquiétude, elle se dit : « Dans trois heures, ce sera terminé, heureusement. L'examen de passage sera fini, et je pourrai enfin respirer... »

Elle revint dans le salon où l'attendait Silas.

— Vous voulez boire quelque chose ? proposa-t-il avec un sourire gracieux.

Pour sa part, il semblait tout à fait à son aise. La visite de ses parents ne semblait absolument pas le préoccuper.

— Non merci, répondit-elle, tendue.

Il se servit un apéritif léger, puis sortit une petite boîte de sa poche.

— Il est temps que vous mettiez ça, murmura-t-il en passant l'alliance au doigt de Colly.

— J'avais complètement oublié ! fit-elle à mi-voix.

— Mais vous tremblez, on dirait ! s'étonna-t-il, très surpris.

Colly se sentit un peu ridicule. N'était-ce pas stupide de trembler ainsi comme une feuille ?

— Mais de quoi avez-vous peur ? demanda-t-il avec un rire léger, un brin moqueur.

— Ce sont vos parents, expliqua-t-elle, mal à l'aise. Vous n'avez pas à les redouter... Pour moi, la chose est différente : je ne les ai jamais rencontrés et...

Silas éclata d'un grand rire.

— Oh, je vous adore, Colly Livingstone ! Quelle sensibilité, quelle délicatesse !...

C'est à ce moment que la sonnette de l'entrée se fit entendre. Colly se figea.

— Tiens, remarqua Silas. Ils sont en avance. Cela ne m'étonne pas.

Il saisit d'une main ferme celle de Colly et marcha vers la porte. Cette manière de vouloir être ensemble pour les accueillir toucha Colly et la rasséréna : elle pouvait s'appuyer sur lui.

Les minutes qui suivirent furent marquées par des cris joyeux, des embrassades à n'en plus finir, des exclamations, des baisers tendres... L'ambiance était à la fête.

— Que vous êtes jolie ! s'extasia Paula Livingstone tandis qu'elle détaillait Colly. Et comme je suis heureuse de vous connaître enfin !...

Elle serra Colly une nouvelle fois dans ses bras avec tendresse et spontanéité. Colly avait les larmes aux yeux. La terrible rencontre qu'elle avait tant redoutée se déroulait tout naturellement. La mère et le père de Silas se révélaient des gens tout à fait charmants, pleins de gentillesses et d'attentions.

Le père de Silas, Borden Livingstone, était d'un naturel plus réservé que sa femme, mais il n'en était pas moins chaleureux. Colly se rappela son visage. Elle l'avait aperçu lors des funérailles de son père. Dans la cohue, ils n'avaient pas pu être présentés.

Après qu'il les eut conduits dans le salon, Silas demanda à ses parents s'ils souhaitaient boire un apéritif et, comme ceux-ci déclinaient son invitation, ils passèrent tous à table.

— Quel joli bouquet ! s'exclama la mère de Silas.

Colly fut sur le point de lui dire que c'était elle qui avait choisi les fleurs, mais elle se retint : mieux valait laisser l'imagination de sa belle-mère faire son œuvre.

Ces fleurs pouvaient être un bouquet offert par Silas à sa jeune épouse, par exemple !

Dès le début du repas, Colly comprit qu'elle appréciait le caractère franc et enjoué de sa belle-mère. Cette femme était d'un naturel si charmant et enthousiaste qu'il était impossible de ne pas l'aimer.

Mais la jeune femme demeurait cependant sur ses gardes. Le moindre dérapage de sa part, la moindre erreur, et c'eût été la catastrophe. Aussi Colly prenait-elle le temps de réfléchir après chaque question qu'on lui posait.

Tandis que le dîner se prolongeait, dans une atmosphère joyeuse et détendue, Colly se décontractait, savourait pleinement cette réunion de famille. Toutes les tensions qui la parasitaient avant l'arrivée de ses beaux-parents se relâchaient peu à peu, la libérant de l'horrible angoisse qui avait été la sienne.

Mme Varley avait préparé un délicieux canard grillé qui fit suite au saumon fumé. Chacun apprécia la qualité des plats.

En contrecoup de la crispation qui avait été la sienne avant le repas, Colly sentit une légère torpeur l'envahir. Elle n'avait bu qu'un demi-verre de vin, heureusement, mais la tête lui tournait pourtant légèrement. Au prix d'un grand effort, elle parvint à rester lucide. Le malaise ne dura que quelques minutes. Et bientôt, elle retrouva toute l'acuité de sa conscience.

Paula Livingstone évoqua la maladie de Silas, son séjour à l'hôpital.

— Nous avons failli nous croiser, là-bas, dit-elle en riant. Il est vrai qu'à l'époque, j'ignorais complètement que vous étiez mariés, tous les deux !

Elle partit d'un rire communicatif. L'excellent bordeaux faisait son petit effet. Par prudence, Colly avait décidé de ne plus toucher à son verre.

On parla de choses et d'autres. Silas évoqua le testament du père de Colly, et la jeune femme se crispa légèrement, souhaitant de tout cœur que cette discussion n'aboutisse pas à une maladresse. Car elle avait bien conscience de marcher sur des œufs : il s'agissait de demeurer prudent, tout en paraissant naturel. L'exercice n'était pas facile.

— Colly a eu quelques petits problèmes avec le testament de son père, au début, expliqua Silas.

Borden Livingstone intervint aussitôt et proposa aimablement à Colly l'aide d'un de leurs avocats.

— Oh, le problème est réglé, à présent, assura-t-elle, la gorge quelque peu nouée.

Elle voulait absolument éviter le terrain dangereux et plein de pièges que constituait celui du mariage : préparatifs, déroulement, etc. Il fallait également escamoter la situation qui était celle de Colly avant sa rencontre avec Silas. Inutile de révéler qu'elle n'avait alors pas un sou, pas d'appartement en vue, et, en face d'elle, une belle-mère avec un couteau entre les dents.

— La maison de mon père est maintenant vendue, expliqua Colly avec tact.

— Je suis heureuse pour vous, dit Paula Livingstone. Voilà un problème réglé. Vous avez vécu longtemps dans cette maison, ma chère enfant ?

— Toute mon enfance, soupira Colly, mélancolique.

— Si jamais nous devions déménager, enchaîna Paula Livingstone, je ne vois pas comment nous parviendrions à entasser la documentation de Borden. Depuis des dizaines d'années, il a accumulé tous les magazines techniques

concernant son activité. Il y en a des piles et des piles !...
Des tonnes de revues !

— J'en relis de temps à autre, se défendit le père de
Silas, un sourire aux lèvres. Par ailleurs, je ne vois pas
pourquoi nous déménagerions !

Ils s'interrompirent un instant. Mme Varley apportait
le dessert, un magnifique baba au rhum. On s'extasia de
nouveau, et Mme Varley eut droit à des compliments
chaleureux et sincères. Elle s'était révélée un merveilleux
cordon-bleu.

Lorsque le dîner fut terminé, Colly alla voir discrètement Mme Varley dans la cuisine. Elle la remercia une
nouvelle fois, et lui suggéra avec gentillesse de rentrer
chez elle.

— Je finis de remplir le lave-vaisselle et je m'en vais,
dit Mme Varley avec son bon sourire.

Les parents de Colly, à leur tour, prirent congé avec
effusion. Paula Livingstone tenait absolument à ce que
le jeune couple vienne prochainement dîner chez eux.
Silas assura que ce serait une joie. On s'embrassa une
dernière fois. La porte d'entrée se referma.

Colly poussa un soupir de soulagement. L'épreuve qu'elle
avait tant redoutée s'était finalement bien passée.

— Vous avez des parents vraiment charmants, confia
Colly, sincère.

— C'est vrai, confirma-t-il simplement.

— Cela dit, je préférerais ne pas aller à ce dîner, chez
eux.

— Bah... La date n'est pas encore fixée...

Colly avait pris sur elle afin que tout se passe bien
— pour éviter tout impair, toute maladresse. Elle ne
souhaitait pas renouveler l'expérience de sitôt !

113

— Je souhaite ne pas y aller, insista-t-elle d'un ton résolu.

Silas la dévisagea avec surprise d'un air de dire : « Quel caractère !... »

Comme Colly lavait dans l'évier la vaisselle qui n'avait pu rentrer dans la machine, Silas entreprit de l'aider. Il essuyait méticuleusement les assiettes et les couverts.

« Quel étrange tableau nous offrons ! On dirait un jeune couple traditionnel, pareil à tant d'autres, qui range la vaisselle et se prépare à aller au lit après avoir reçu ses parents », songea Colly tandis qu'elle rinçait les verres sous le robinet.

Comme si Silas avait lu dans ses pensées, il annonça sur un ton détaché :

— Vous savez, si vous voulez dormir ici, il y a une chambre d'amis...

Elle savait bien qu'il y avait une chambre : elle y avait dormi — mal — lorsqu'il était revenu de l'hôpital.

— ... En tout bien tout honneur, précisa Silas d'une voix rassurante.

Colly était partagée. Une partie d'elle-même aurait aimé dormir dans cet appartement, ce soir, non loin de Silas ; mais son orgueil, sa fierté et sa raison lui commandaient de partir, de partir à tout prix.

— Non, je vous remercie, Silas. Je vais rentrer chez moi.

Ils restèrent un bon moment sans dire un mot. Puis, Colly reprit, du ton le plus neutre possible :

— Au fait, Silas, lorsque nous serons chez votre grand-père, dans le Dorset, j'imagine que nous ne pourrons pas faire chambre à part ? Ou bien la maison est-elle assez grande pour...

— Nous ne pourrons pas faire chambre à part, confirma-t-il assez sèchement.

Ils se trouvaient encore dans la cuisine, Colly devant l'évier, Silas non loin d'elle. Il essuyait toujours machinalement ce qu'elle venait de laver.

— Je suis désolé, murmura-t-il au bout d'une pleine minute. Il nous faudra dormir dans la même chambre.

Comme s'il avait été activé par un signal, le cœur de Colly se mit à battre soudain plus fort, plus vite.

Elle termina rapidement la vaisselle et enleva le tablier qu'elle avait enfilé.

— Je vous laisse ranger le reste, marmonna-t-elle sombrement.

La fatigue s'était abattue sur elle. Après cette soirée délicate, elle se sentait soudainement vidée d'énergie. Elle lança le tablier dans un coin de la cuisine avec un soupir de lassitude.

Dans le salon, elle reprit son sac et les quelques affaires qu'elle avait apportées.

Les clés à la main, elle s'apprêtait à sortir de la pièce, mais Silas, dans l'encadrement de la porte, lui barrait le chemin.

— Puis-je vous suggérer d'aller vous coucher, conseilla-t-elle d'une voix lasse. Vous avez besoin de vous reposer.

— Vous avez besoin de sommeil, vous aussi, Colly.

— Profitez de cette nuit, ajouta-t-elle d'un ton taquin. Parce qu'il n'est pas sûr que vous puissiez très bien dormir, demain, chez votre grand-père…

Elle fit une pause, de manière quelque peu théâtrale pour bien mettre en relief les mots qui allaient suivre.

— … dans le fauteuil où il vous faudra trouver le sommeil.

L'œil de Silas s'arrondit une seconde, et il partit d'un rire léger, amusé, trouvant manifestement très drôle la manière qu'elle avait de voir les choses.

— Vous étiez de meilleure humeur le jour où vous avez insisté pour que je reste au lit avec vous ! plaisanta-t-il avec un ton de bravade.

Colly fronça les sourcils. Les choses ne s'étaient pas exactement passées de cette manière. Silas réinventait l'histoire à sa façon. « La mémoire est souvent bien peu objective », se dit Colly.

Mais elle comprit au bout d'un moment que Silas, tout à fait conscient de ce qui s'était passé entre eux lorsqu'ils avaient commencé à faire l'amour, ne déformait ce souvenir que pour la taquiner.

— Je rentre chez moi, annonça-t-elle en l'écartant doucement mais fermement, alors qu'il barrait encore la sortie.

— Je viens vous chercher à 14 heures, demain, dit-il en s'effaçant pour la laisser passer.

Sur le seuil de la porte, elle murmura, plongeant son regard dans le sien :

— A demain, Silas. Dormez bien.

9.

Lorsque Silas sonna chez elle en début d'après-midi, Colly était déjà prête : elle avait préparé son sac de voyage, en veillant à ne pas trop emporter de vêtements. A la vérité, la jeune femme avait attendu l'heure du départ avec fébrilité. Car elle regrettait son attitude de la veille, jugeant qu'elle s'était montrée cassante, presque agressive à l'égard de Silas.

Mais elle découvrit son visage souriant sur le seuil de la porte, et sentit alors son cœur fondre dans sa poitrine.

— Vous êtes ponctuel ! Je vais chercher ma petite valise et j'arrive ! lança-t-elle gaiement.

Lorsqu'elle revint, il lui ôta le bagage des mains, et alla le déposer dans le coffre de la voiture.

Dès qu'ils eurent démarré, Silas confia sur un ton amène :

— Ma mère m'a téléphoné pour me dire à quel point elle avait été charmée de ce dîner.

— Finalement, la soirée s'est très bien passée, n'est-ce pas ?

— Absolument. C'était très réussi. Et mes parents vous adorent.

Elle tourna la tête vers lui. Il fixait la route, droit devant lui, détendu et confiant.

— Ils *m'adorent* ? C'est peut-être excessif, Silas. Vous savez, vos parents auraient été prêts à apprécier la femme que vous avez choisi d'épouser, quelle qu'elle fût.

Silas protesta imperceptiblement, en faisant claquer sa langue et en levant les yeux au ciel. Il n'avait jamais rencontré une personne si modeste, à la fois si généreuse et si humble ! Colly, malgré son tempérament fier, malgré l'honnêteté farouche qui composait son caractère, était la douceur incarnée. Mais elle manquait de confiance en elle et semblait toujours s'étonner de ce que son entourage l'apprécie à sa juste valeur...

L'absence de sa mère ainsi que ces dernières années passées auprès d'une femme cupide et malveillante avaient probablement affaibli le moral de la jeune femme, songea-t-il.

Colly, comme si elle suivait le cours de ses pensées, poursuivit :

— Votre mère est vraiment charmante. Elle m'a réservé un accueil dont je n'aurais osé rêver.

Ils roulaient à présent au milieu d'une campagne très verte, propre à cette région de l'Angleterre. Des troupeaux de moutons se promenaient dans les pâturages.

— Quel âge aviez-vous, lorsque vous avez perdu votre mère ? demanda soudain Silas, tout à trac.

— Huit ans, répondit-elle en baissant les yeux.

— Elle vous a manqué, dans votre adolescence ?

— Bien sûr.

— Et votre belle-mère n'a jamais esquissé un geste d'amitié ?

Colly n'aimait pas cette conversation, aussi demeura-t-elle raide sur son siège, et silencieuse durant les minutes qui suivirent.

— Quelque chose vous tracasse, Colly ? demanda Silas sur un ton circonspect.

— Vous voulez que j'établisse une liste ? rétorqua-t-elle sèchement, agacée.

Immédiatement, elle regretta ce mouvement d'aigreur. Pourquoi encore cette animosité inutile ? Pourquoi s'obstinait-elle à se tenir sur la défensive ?

— Excusez-moi, murmura-t-elle, confuse.

— Je vous en prie.

Après une nouvelle pause, Silas reprit avec douceur, sans la moindre trace d'ironie :

— Vous êtes un amour, Colly.

Les accents sincères de sa voix troublèrent la jeune femme, qui sentit une nouvelle fois son cœur bondir dans sa poitrine. Tout son être se détendit, par l'effet d'un seul mot, d'une seule phrase, prononcée avec tendresse. Comment ne pas aimer un tel homme ? Il était si prévenant... et si patient avec elle.

Silas conduisait avec souplesse et prudence, attentif aux éventuelles surprises qui jalonnent parfois la route.

Colly songea qu'elle s'était montrée assez injuste en ne considérant que sa propre gêne lors de cette rencontre familiale ; Silas, lui aussi, devrait à l'avenir se montrer très vigilant vis-à-vis de ses parents, et surtout de son grand-père. Hésitante, Colly s'éclaircit la gorge et dit ce qu'elle avait à l'esprit depuis un moment :

— Cela ne doit pas être simple pour vous, non plus, de devoir jouer ce jeu devant vos parents. Je veux dire : ce jeu consistant à éluder la vraie nature de notre mariage...

— Vous savez, madame Livingstone, répliqua-t-il, finalement, je suis tout à fait heureux de vous avoir épousée.

Colly eut l'impression qu'une musique s'élevait dans la voiture. Elle était à la fois abasourdie et enchantée. Il lui sembla percevoir des ailes d'anges, des formes blanches voltigeant dans l'azur. Silas était donc *heureux* de l'avoir épousée ? Non, il devait plaisanter...

Elle avait peut-être mal compris. Silas avait probablement voulu dire qu'il était satisfait de son mariage, parce que celui-ci se déroulait ainsi que prévu : chacun vivait de son côté, dans son indépendance de lieu et de vie. Silas avait en poche ce précieux certificat de mariage, indispensable à la stratégie qui était la sienne pour garder le pouvoir sur Livingstone Developments. Il y avait de quoi jubiler !

Ce qui le comblait dans leur mariage, c'était ce document. Ce n'était pas elle. Il ne fallait pas se faire d'illusions.

Elle poussa un soupir de dépit. Silas s'en aperçut.

— Il y a un problème ? demanda-t-il en l'interrogeant un bref instant du regard.

— Non, non. Tout va bien, assura-t-elle, ébranlée.

Devinant qu'il était préférable de changer de sujet, Colly décida d'ignorer ses sentiments.

— Mon oncle Henry m'a téléphoné hier, lança-t-elle du ton le plus enjoué possible.

— Alors, j'imagine qu'il avait lu les journaux !...

— Oui, comme tout le monde, il a appris notre mariage par la presse.

— J'espère que vous ne lui avez pas dit que notre mar...

— Enfin, Silas ! Je ne suis pas stupide à ce point ! Je reconnais que j'ai commis une erreur avec Tony Andrews. Mais les circonstances n'avaient rien d'ordinaire, et cela n'arrivera plus. Non, je n'ai rien révélé à l'oncle Henry.

— Pardonnez-moi. Il a dû être très surpris ?

— Passablement, oui. Ah, au fait : je lui ai expliqué que l'appartement que j'habite appartient à votre grand-père, et que vous y êtes… Et que nous y sommes de temps à autre… et que j'y suis lorsque vous partez à l'étranger.

Silas eut un rire spontané.

— A vrai dire, je devrais y venir plus souvent, dans cet appartement, non ?

Colly partit d'un rire, elle aussi. Puis elle reprit :

— Vous oubliez nos conventions.

Le reste du voyage se passa dans la bonne humeur. Silas se révélait un compagnon de route tout à fait délicieux, et lorsqu'ils arrivèrent en vue de la propriété de Silas Livingstone senior, le grand-père de Silas, ils plaisantaient joyeusement, comme s'ils se connaissaient depuis toujours.

Le grand-père de Silas, était, lui aussi, très grand. C'était un trait de famille, chez les Livingstone. Avec ses cheveux blancs, sa stature droite et fière, il ne manquait pas de panache.

Venant à la rencontre des jeunes mariés, il leur serra les mains avec une émotion contenue, avant de les accueillir avec des mots simples et chaleureux.

— Alors, mon petit-fils épouse sans rien m'en dire cette belle jeune femme ! plaisanta-t-il. Tu aurais tout de même pu m'inviter à la noce !…

— Nous nous sommes mariés très vite et très discrètement, grand-père, répondit Silas avec un sourire affectueux. Je suis désolé : nous n'avons invité ni famille ni amis. C'est ainsi que nous avons choisi de nous marier.

Silas senior observa du coin de l'œil son petit-fils, un sourcil levé.

— Avec un tel sourire, comment pourrais-je t'en vouloir ? Allons, mes chers enfants. Le thé doit être prêt. J'ai demandé à Gwen de le préparer dès qu'elle vous entendrait arriver.

Colly comprit peu de temps après que Gwen était la gouvernante. Elle avait été au service des Livingstone depuis de nombreuses années. C'était la servante au grand cœur que l'on rencontre parfois dans les vieilles familles traditionnelles.

Gwen apporta un plateau dans le grand salon où ils avaient pris place. Colly se proposa pour verser le thé à chacun.

Le vieil homme exprima bientôt ses condoléances à Colly. Il n'avait pas personnellement connu le père de celle-ci, mais en avait souvent entendu parler en raison de ses compétences professionnelles. Le père de Colly était un remarquable ingénieur, très respecté dans son milieu. Et sans nul doute, cette remarquable ascendance avait eu son importance dans la première rencontre de Silas et de Colly.

Ils conversèrent tous trois un long moment, avant que le grand-père de Silas ne leur suggère de monter visiter leur chambre, et de se rafraîchir.

— Vous êtes dans la chambre aux papillons, expliqua-t-il à son petit-fils. Tu vois laquelle c'est ?

— Bien sûr, grand-père !

La maison était très grande, mais Silas en connaissait naturellement toutes les pièces. Colly ne parvenait pas à se départir de sa gêne : cette chambre unique qu'il allait bien lui falloir partager avec Silas l'inquiétait. « L'un de nous deux dormira sur un fauteuil, n'importe où, mais il n'est pas question que nous fassions lit commun », se répéta-t-elle pour se rassurer.

Comme elle montait l'escalier derrière Silas qui portait les bagages, elle espéra trouver des lits jumeaux dans cette antique demeure où l'on respectait peut-être encore des usages désuets — ce qui se serait révélé une bénédiction, en la circonstance.

Hélas, lorsqu'ils entrèrent dans la « chambre aux papillons », ainsi surnommée en raison de la tapisserie qui garnissait les murs, elle ne vit que le large lit pour deux personnes qui trônait au milieu de la pièce.

Colly le fixa avec une consternation ostensible.

— Qu'y a-t-il, Colly ? interrogea Silas qui avait remarqué son trouble. Vous n'aimez pas la chambre ?

— Mais si, mais si ! répondit-elle avec empressement.

— Vous êtes sûre ?

— Oh, oui... Je suis sous le charme, mentit-elle en détournant les yeux.

Elle constatait qu'il n'y avait qu'un seul fauteuil, qui ne semblait, de surcroît, guère confortable.

— Vraiment ? insista-t-il, ironique.

S'approchant d'elle, il entoura ses épaules d'un bras protecteur, et elle sursauta.

— Ne me touchez pas ! s'écria-t-elle, paniquée, le visage en feu.

D'abord effaré par sa réaction, Silas se ressaisit et articula d'une voix posée, mais relativement froide :

— Ecoutez, Colly. Il faut mettre les choses au point. Nous sommes mariés, mais il faut que vous sachiez que je n'ai nulle intention de tenter de vous séduire. Nous ne ferons pas l'amour. Ce qui est arrivé l'autre nuit... était un accident.

C'était clair et net. Avec ces paroles rassurantes, la tension qui parasitait Colly se calma peu à peu.

— Nous savons à présent où nous en sommes, vous et moi, n'est-ce pas, Silas ? Nous sommes bien d'accord ?

— Absolument, répondit-il avec fermeté. La ligne que nous avions définie pour notre mariage reste la même.

Il hésita un instant, et reprit à mi-voix :

— Cela étant, je ne suis pas de marbre, et vous êtes une femme très attirante, très désirable, ajouta-t-il en posant un chaste et bref baiser sur ses lèvres. Et nous devons afficher tendresse et complicité. Je descends rejoindre grand-père. Si vous avez besoin de quelque chose, appelez-moi. Lorsque vous serez installée, vous pourrez nous rejoindre.

Il referma doucement la porte derrière lui et, seule dans la chambre, Colly songea qu'elle s'était inquiétée outre mesure. Silas et elle allaient partager la même chambre, il n'y avait pas de quoi en faire un drame ! Chacun dormirait de son côté, voilà tout.

Et, se rappelant ce qu'il venait de lui déclarer, Colly se laissa envahir par un délicieux frisson : elle était flattée, secrètement heureuse de ce désir qu'il éprouvait pour elle, même si cette sensualité risquait parfois de se révéler dangereuse.

Un peu plus tard dans la soirée, Colly, détendue, presque joyeuse, retourna auprès des deux Silas dans le grand salon. Le grand-père et le petit-fils étaient en pleine discussion sur des questions administratives, mais par courtoisie, ils s'interrompirent quand elle fit son apparition.

Durant le dîner, l'ambiance se révéla tout à fait agréable.

— Je suppose que tu n'as pas eu le temps d'aller voir mon petit appartement ? demanda pourtant Silas senior. Simplement pour vérifier que tout va bien ?

— Si, grand-père. J'y suis allé, répondit Silas. Il n'y a pas de problème.

Il évita d'ajouter tout autre commentaire.

Le vieux monsieur les salua assez tôt après le dîner. Il avait l'habitude de se coucher de bonne heure.

Silas se pencha et posa ses lèvres sur le front de Colly.

— Je monterai un peu plus tard, murmura-t-il tranquillement.

— Alors, bonne nuit, répondit-elle avec un sourire confiant.

Comme elle montait l'escalier, sa confiance s'évanouit. Cette promiscuité d'une nuit l'inquiétait de nouveau. Paradoxalement, elle avait peur d'elle-même autant que de Silas. Sans en être vraiment consciente, elle craignait d'être gagnée par la fièvre du désir, à proximité d'un homme terriblement attirant. Il fallait éviter le lit commun. Le fauteuil de la chambre ferait l'affaire. Ce n'était pas l'idéal pour passer la nuit, certes, mais Silas devrait s'en contenter.

Elle alla chercher dans un placard une couette et des couvertures qu'elle installa dans le fauteuil. Lorsque Silas reviendrait, il verrait bien que « son lit » était préparé. Il comprendrait. Pour faire bonne mesure, elle prit un des oreillers qui étaient sur le lit et le plaça dans le fauteuil, avant de se coucher et d'espérer s'endormir avant son retour.

Mais, très énervée, Colly ne parvint pas à trouver le sommeil. Une heure passa, puis deux.

Lorsque Silas monta l'escalier, en prenant garde de ne pas faire de bruit, elle se tournait et se retournait encore dans le grand lit. Elle l'entendit marcher dans la pièce, dans la salle de bains, perçut le froissement des vêtements que l'on enlève et que l'on pose.

Les yeux fermés, elle faisait semblait d'être profondément endormie, mais tous ses sens étaient en éveil. Enfin, elle entendit le craquement du fauteuil lorsque Silas s'y installa.

Puis elle attendit patiemment ; bientôt, la respiration régulière de Silas lui indiquerait qu'il dormait. Mais seuls les craquements du fauteuil qui grinçait à intervalles réguliers lui parvinrent.

Elle enfonça la tête sous la couette et chercha furieusement le sommeil. Rien n'y faisait : les craquements continuaient à retentir dans la pièce, amplifiés par le silence de la nuit.

Une nouvelle fois, elle se sentait écartelée entre deux désirs contradictoires. Une part d'elle-même se révoltait contre cette situation injuste : le pauvre Silas ne méritait pas le châtiment qu'elle lui infligeait. Mais dormir l'un près de l'autre était impensable...

Les craquements du fauteuil continuaient à résonner dans la chambre. Colly, dans l'impossibilité de trouver le sommeil, poussait des soupirs rageurs.

A la fin, n'y tenant plus, elle s'appuya sur un coude et murmura sur un ton furieux :

— En voilà assez, Silas. Prenez votre oreiller et venez vous mettre sur un côté du lit. Au moins vous dormirez et je n'entendrai plus ces grincements infernaux !

Silas ne se fit pas prier davantage. Il se leva immédiatement et chuchota d'un air triomphant :

— Vous savez, j'ai acheté un pyjama pour l'occasion — moi qui n'en porte jamais !

— Que vous portiez un pyjama ou une armure du Moyen Age, je m'en moque, maugréa-t-elle en se calant à l'autre bout du lit.

Elle entendit son rire feutré, ce qui lui donna également envie de rire. Mais elle se retint de manifester son amusement. La situation était décidément ridicule, digne d'une comédie !

— Je m'installe tête-bêche, murmura Silas. De cette manière je ne vous empêcherai pas de dormir.

Il poussa un profond soupir — le genre de soupir que l'on pousse lorsqu'on est enfin bien installé, sur le point de dormir. Colly bâilla ; mais le sommeil ne venait toujours pas.

Elle entendait la respiration régulière de Silas. Les minutes, les heures s'égrenaient. Elle avait tantôt les yeux ouverts, tentant de repérer les objets dans la pénombre ; tantôt les yeux fermés, toujours à la recherche de ce sommeil qui tardait tellement à venir.

Les premières lueurs du jour apparurent. Colly ne savait si elle avait pu s'endormir. Elle aperçut Silas qui se levait prudemment, sans faire de bruit. Il marcha sur la pointe des pieds jusqu'à la salle de bains.

Elle resta dans le lit. Il était encore tôt, et elle pourrait essayer de dormir un peu. Mais le petit déjeuner était peut-être prévu à une heure matinale… Elle ne pouvait pas se soustraire à ce rite, c'eût été impoli de sa part. « Autant se lever tout de suite », songea-t-elle.

Après avoir attendu que Silas en ait terminé avec la salle de bains, elle y entra afin de prendre une douche revigorante.

Et elle se figea : Silas se trouvait en face du grand miroir, son rasoir électrique à la main. Il était entièrement nu. Il avait l'air aussi surpris qu'elle.

Ils restèrent plusieurs secondes avant de réagir. L'irrationalité de la situation les avait paralysés l'un et l'autre.

Colly tourna brusquement les talons en prenant soin de refermer la porte de la salle de bains.

Quelques instants plus tard, vêtu d'un peignoir, il entrait dans la chambre avec un sourire indécis.

— C'est un peu fort, grommela Colly en fronçant les sourcils.

— Ce n'est pas ma faute si vous entrez sans prévenir ! rétorqua-t-il.

— Vous pourriez fermer à clé !

— Ce n'est pas mon genre !

Elle lui tournait le dos comme lorsque l'on boude et que l'on ne veut pas voir son interlocuteur.

Il s'approcha d'elle et la serra doucement contre lui tandis qu'elle était toujours de dos.

— Nous n'allons pas nous fâcher pour si peu, murmura-t-il contre son oreille d'une voix câline.

Elle ne se retourna pas, charmée par cette chaleureuse présence qu'elle percevait tout contre elle, par ses grandes mains qui l'enserraient avec délicatesse.

— Vous avez été très bien, complimenta-t-il à mi-voix, je vous remercie. Mon grand-père vous apprécie énormément. Finalement, tout s'est bien passé, non ? Et dans quelques heures, nous reprendrons la route de Londres. Votre corvée du week-end sera terminée !

— N'exagérons rien, murmura-t-elle, toujours dos contre lui. Je n'ai jamais voulu faire toute une histoire de cette escapade.

Rêveuse, elle se laissa aller contre lui et appuya sa tête contre son épaule.

— Vous avez été formidable, chuchota-t-il, sincère.

— C'est ce que vous dites aux femmes avec qui vous avez passé la nuit ? railla-t-elle.

Il bascula sur elle, et ils se retrouvèrent face à face, les yeux dans les yeux.

— Vous êtes exceptionnelle, assura-t-il, convaincu.

Colly sourit, et plongea son regard dans le sien. Ils restèrent ainsi un long moment, sans mot dire.

Puis elle sentit qu'il la serrait davantage contre lui. Elle ne fit aucun mouvement pour se libérer, pour prendre du recul. Au contraire, elle épousa dans un geste naturel le corps qui se plaquait doucement contre le sien.

Puis elle offrit ses lèvres aux siennes, et ils échangèrent un baiser ardent. Silas lui caressait les cheveux, et son étreinte passionnée lui donnait le vertige. Elle ne souhaitait rien d'autre que de chavirer avec lui… Aussi s'abandonna-t-elle entre ses bras.

Elle l'aimait.

A quoi bon résister ?

10.

Lorsque leur tendre et merveilleux baiser prit fin, elle sourit et murmura d'un ton enjoué :

— Bonjour, monsieur Livingstone !

Il répondit de sa belle voix si grave, si chaude :

— Bonjour, madame Livingstone, bonjour ma chère et tendre femme.

— Vous savez que vous avez une très jolie bouche, monsieur Livingstone ?

— C'est pour mieux vous croquer, mon enfant, plaisanta-t-il, les yeux brillants de malice.

— Vous avez envie de me croquer ?

— Oui, terriblement, assura-t-il, la voix éraillée.

Ce n'était pas ainsi que le week-end avait été programmé, pensa-t-elle, chavirée.

Passant ses deux bras autour du cou de Silas, elle tendit de nouveau les lèvres.

Il l'embrassa avec une ardeur qui la fit frémir de bonheur.

À bout de souffle, ils s'écartèrent légèrement l'un de l'autre, un peu haletants.

Colly eut alors une irrépressible envie de dire à Silas : « Je vous aime, je suis folle de vous. » Mais une voix intérieure lui soufflait de n'en surtout rien faire.

Ils s'embrassèrent encore et encore, avec la même passion. La jeune femme adorait les baisers qu'ils échangeaient, la manière qu'il avait de glisser ses doigts le long de sa peau, dans ses cheveux. Et lorsqu'il lui prenait le visage avec ses grandes mains pour river son intense regard bleu au sien, elle défaillait de bonheur.

— Silas, oh, Silas… Vous me désirez ? chuchota-t-elle d'une voix enrouée.

— Oh, si vous saviez à quel point !…

Leurs visages se frôlaient délicieusement, leurs corps s'épousaient dans la frénésie du désir, malgré le léger tissu qui les séparait encore.

— Vous êtes sûre que… chuchota Silas, toujours soucieux de ne pas la troubler.

— Je suis en train de réviser une certaine rigidité qui a régné sur mon éducation sexuelle, confia-t-elle, le souffle court.

Ils partirent tous les deux d'un rire amusé, avant que l'ardeur de la volupté ne les entraîne de nouveau dans un tourbillon enfiévré. Colly frémit de tout son être sous ses caresses. Lorsqu'il lui prit de nouveau les lèvres, elle les entrouvrit pour accueillir sa langue et en savourer le goût sucré. Jamais elle n'avait été la proie d'un désir si puissant, si impérieux. Et elle avait, comme lui, soif de son corps.

— Et si on enlevait cela ? murmura Silas, haletant, tandis qu'il tirait délicatement sur la bretelle de sa chemise de nuit.

— Oh, oui, répondit-elle, enivrée de volupté.

Mais l'instant d'après, elle se reprit. Elle ne savait plus ce qu'elle disait. La logique lui échappait.

— Je veux dire : non… murmura-t-elle, déboussolée.

Comme Silas lui caressait ses seins qu'il avait habilement dénudés, elle fermait les yeux, pâmée, éperdue de plaisir.

Elle s'offrait à lui sans la moindre restriction et ne cessait de tendre ses lèvres pour un nouveau baiser, encore et encore... Dans ses yeux, elle reconnut les sentiments et les émotions qui faisaient vibrer son âme.

Mais lorsqu'il tenta de la dénuder entièrement, elle protesta, haletante.

— Non, non, je... Je ne peux pas, articula-t-elle péniblement.

— Vous... vous ne voulez pas faire l'amour avec moi ? murmura-t-il d'une voix enrouée par l'intensité de son ardeur.

Oh, si ! Elle avait tellement envie de faire l'amour avec lui... Elle aurait voulu lui dire à quel point elle le désirait ; elle aurait voulu qu'il la couvre de caresses brûlantes, et sentir son corps devenir brasier dans le sien. Mais... une crainte l'avait un instant saisie, et cette seconde d'hésitation avait tout gâché. Silas se détourna, et la considéra d'un regard impénétrable. Etait-il déçu ? Avait-il compris le temps d'hésitation qu'elle avait pris comme un refus ? Peu importait : c'était trop tard.

Le charme était rompu.

Bouleversée, Colly réajusta sa chemise de nuit. Ils étaient dans la confusion la plus totale, dans le malentendu le plus flagrant.

— Je... Je peux aller dans la salle de bains ? demanda-t-elle d'une voix mal assurée.

Abasourdi, Silas la fixait avec un ahurissement qu'il ne cherchait pas à dissimuler, comme si elle venait de commettre la chose la plus absurde qui fût.

— Vous êtes vraiment déroutante, marmonna-t-il en hochant la tête.

Elle aurait voulu lui expliquer que c'était la première fois qu'elle se laissait déshabiller par un homme, qu'elle n'avait jamais été nue devant quiconque auparavant, et qu'elle avait totalement perdu le contrôle d'elle-même dans cette situation enivrante et folle qu'ils venaient de vivre. Elle aurait voulu lui dire à quel point elle avait eu envie de lui… Mais il la considérait d'un regard tel qu'elle n'osa se justifier.

Pendant tout le trajet du retour vers Londres, Silas et Colly demeurèrent silencieux. Colly songeait au bouleversant épisode de la matinée, qui l'avait perturbée. Le visage impassible de Silas était une énigme. Peut-être songeait-il à son travail ? Ou bien à eux, lui aussi.

Tout en observant de manière distraite le paysage qui défilait, Colly s'abîmait dans ses pensées. Au bout d'un certain temps, elle en vint à la conclusion suivante : Silas ne souhaitait pas donner à leur mariage un sens nouveau. Il en restait à leur accord initial : une liaison de papier, un simple contrat, sans amour.

Mais cet épisode de ce matin ? Il semblait bien ne constituer, en définitive, qu'un incident. Deux êtres qui se croisent sur le seuil d'une salle de bains, qui s'embrassent et se désirent… L'épisode était finalement plus banal que significatif.

Et c'était aussi bien ainsi. Que se serait-il passé s'ils avaient fait l'amour ? N'eût-elle pas été…

— Ça va ? dit soudain Silas en tournant la tête vers elle.

Une sorte de sixième sens l'avait averti que le cerveau de sa compagne était en train de bouillonner.

Non, cela n'allait pas du tout, mais elle n'était évidemment pas en mesure de lui expliquer pourquoi.

— Ma foi oui, mentit-elle mollement. J'ai passé un week-end très agréable.

Il fixa la route, droit devant lui, sans répondre. Enfin, au bout d'un moment, il admit d'un ton grave :

— Bon, j'ai ma part de responsabilité, dans tout ça, mais vous avez également la vôtre...

Elle supposa qu'il faisait allusion à la scène du matin, à cet élan insensé qui les avait emportés dans ce tourbillon enfiévré. Ce qu'il disait était vrai : ils étaient responsables l'un comme l'autre. Colly avait été transportée par la spirale du désir, autant que Silas. Après leur étreinte, elle s'était enfermée dans la salle de bains, s'était précipitée sous une douche alternativement brûlante et glacée, pour recouvrer ses esprits. Puis elle était descendue rejoindre les deux Silas qui s'apprêtaient à prendre le petit déjeuner.

Elle avait fait tout son possible pour paraître détendue, heureuse, insouciante. Le grand-père de Silas avait bavardé avec elle sur un ton fort plaisant.

Ils avaient déjeuné tôt pour prendre la route. Le vieux monsieur avait saisi affectueusement la main de Colly et l'avait gardée longtemps dans la sienne.

— J'ai été vraiment très heureux de vous connaître, Colly. Et j'espère vous revoir prochainement, avait-il déclaré, sincère.

Puis, lorsque Colly et Silas avaient pris place dans la voiture, le vieil homme s'était approché de la fenêtre côté passager. Colly avait fait descendre la vitre afin de saluer une dernière fois ce merveilleux et délicieux hôte.

— Revenez, Colly, avait-il répété. Revenez très vite !

134

Colly était encore tout émue en repensant à cet épisode. Elle ne savait absolument pas si elle reverrait un jour le vieux M. Livingstone, mais elle était certaine d'une chose : elle garderait de lui, toute sa vie, un souvenir attendri.

Le voyage du retour se terminait. Ils traversèrent une partie de la banlieue de Londres. Lorsque Silas se gara devant l'immeuble où habitait Colly, il murmura d'un ton calme et apaisé :

— Je vous remercie d'être venue, Colly.

— Je vous en prie, répondit-elle vivement. C'était normal, ajouta-t-elle sans réelle conviction.

— Je vais monter votre valise, proposa-t-il en sortant de la voiture.

— Non ! C'est inutile !

Elle avait presque crié. Elle ne voulait pas qu'il l'accompagne. Elle craignait toute discussion, toute crise, toute explication superflue.

— A bientôt ! lança-t-elle précipitamment avant de courir vers l'immeuble, sans se retourner.

Puis elle s'enferma dans l'appartement avec un soupir de soulagement. Enfin seule ! Tous ces événements l'avaient épuisée.

Elle dormit mal cette nuit-là. Elle se coucha démoralisée, et se leva le lendemain matin sans plus d'entrain, le cœur serré.

La tête lourde, elle tituba jusqu'à la cuisine pour se préparer un thé, puis se prit le visage dans les mains, désespérée. La situation lui paraissait sans issue. Le mariage qui, au départ, semblait une solution relativement facile, se révélait une source d'angoisses sans fin. Dès qu'elle était en présence de Silas, elle perdait tous ses moyens. Elle l'aimait, elle était folle de lui, et elle ne supportait pas cette manière qu'il avait de jouer avec cette situation matrimoniale.

Mieux valait l'admettre : la situation devenait intolérable.

Il fallait donc mettre fin à ce mariage, couper les ponts une fois pour toutes. Une fois divorcée, elle n'aurait plus à subir les visites familiales qui lui rongeaient le cœur, car ces visites n'étaient que pur théâtre, pur artifice. Elle ne voulait plus de ces comédies. C'était trop lourd à vivre. Silas, lui, semblait s'en accommoder très bien : il ne voulait pas d'épouse, il ne voulait même pas une maîtresse, et avait donc trouvé auprès de Colly une femme fantôme uniquement vouée à composer cette fausse réalité dont il avait besoin.

Ce jeu était trop cruel pour elle. Elle espérait un véritable mari, un mari aimant, un mari amant ! Or, Silas se cramponnait à son indépendance.

Mais quand le divorce pourrait-il être possible ? Toute la question était là. Il fallait d'abord que Silas prenne totalement la direction de l'entreprise, après avoir évincé son cousin.

Elle resta dans l'appartement toute la journée, l'esprit morose, le cœur vide. Les heures défilaient, interminablement.

Il était à peu près 17 heures. lorsqu'elle entendit le téléphone sonner. Elle sursauta. Etait-ce Silas ?

Elle décrocha.

C'était Rupert, son vieil ami de la galerie de tableaux.

De temps à autre, il téléphonait à Colly pour lui demander de ses nouvelles, mais surtout pour lui raconter ses mésaventures amoureuses. Colly avait toujours écouté d'une oreille complaisante le pauvre Rupert qui, régulièrement, était abandonné par ses conquêtes éphémères.

— Pourrions-nous nous voir, ce soir ? demanda-t-il d'une voix impatiente.

Colly hésita. Elle savait que s'ils dînaient ensemble, elle devrait écouter les récits larmoyants de cet incorrigible séducteur. Mais Rupert avait toujours été un ami fidèle, et il lui changerait les idées.

— Bon, c'est entendu. Allons dîner, Rupert, répondit-elle sans enthousiasme. Où souhaitez-vous aller ?

— Je connais un restaurant de grande classe, assura-t-il, tout guilleret. Je vais vous faire la surprise ! Puis-je passer vous prendre vers 19 heures ?

— Entendu, dit-elle.

Elle posa doucement le récepteur sur son socle avec un nouveau soupir. « Décidément, personne n'est heureux, dans ce monde : Rupert pas plus que moi », pensa-t-elle, navrée.

Rupert vint la chercher à l'heure dite. Et, naturellement, durant toute la route jusqu'au restaurant, il ne cessa de raconter ses mésaventures avec sa dernière amie, Averil, qui lui en faisait voir de toutes les couleurs. Colly écoutait son compagnon d'une oreille amicale et distraite.

Cette sortie au restaurant avait au moins le mérite de la distraire, de la sortir de sa douloureuse solitude.

Tout en lui narrant par le menu ses mésaventures, Rupert conduisait avec aisance, jetant de temps à autre un coup d'œil en direction de Colly.

Lorsqu'ils arrivèrent en vue du restaurant, Colly eut un mouvement de stupéfaction : c'était celui que Silas avait choisi, quelques mois auparavant, pour lui proposer de l'épouser !

Quelle étrange coïncidence !

Lorsqu'ils entrèrent, Colly sentit un pincement au cœur. Elle retrouvait subitement l'atmosphère de cette soirée passée avec un homme qu'elle ne connaissait pas, et qui allait devenir par la suite son mari.

Le dîner se passa fort agréablement. Rupert entama le long récit de ses mésaventures amoureuses, arrachant parfois un sourire à sa compagne, qui s'amusait de son infortune. Oh, cette Averil ! Quel monstre !...

De temps en temps, Colly jetait un coup d'œil dans la salle du restaurant afin de voir si, par hasard, Silas n'était pas là. Mais pourquoi donc serait-il revenu ? Il n'y avait aucune raison. Pourtant, machinalement, elle se retournait pour balayer la salle d'un regard circulaire.

Rupert se leva enfin de table.

— Allons prendre un café, un alcool ou une tisane dans le salon attenant, proposa-t-il avec bonhomie.

Dès qu'ils furent sur le seuil, Colly se figea.

Là, dans le coin de la pièce, à seulement quelques mètres d'elle, Silas était assis, en grande conversation avec une jeune et ravissante blonde. Il ne l'avait pas vue entrer, et ne semblait intéressé que par la charmante personne qui se trouvait en face de lui.

Pour la première fois de sa vie, elle éprouva un sentiment qui la transperça comme un poignard : une jalousie aussi brutale qu'inattendue. Elle n'aurait jamais cru éprouver une telle blessure.

Comme elle restait paralysée par la stupeur et la douleur, Silas leva les yeux. Leurs regards se rencontrèrent. Le temps s'arrêta, quelques secondes. Colly se ressaisit et murmura pour son compagnon :

— Sortons d'ici, je vous en prie.

Eberlué, Rupert suivit Colly, qui rejoignit le parking en un instant.

— Je viens d'apercevoir quelqu'un que je n'ai pas envie de voir, expliqua-t-elle nerveusement.

— Ah, je comprends ! répondit aussitôt Rupert qui semblait avoir l'habitude de ces situations.

Il ouvrit la portière de la voiture pour que Colly s'installe. Elle se laissa tomber sur le siège, choquée. L'image de Silas et de sa belle blonde ne parvenait pas à quitter son esprit.

— Moi, il m'est arrivé à peu près la même chose avec Averil…, commença Rupert tout en tournant la clé de contact.

Colly retint un énorme soupir d'exaspération et de lassitude. Elle n'avait aucunement envie d'entendre encore les jérémiades de son vieil ami. Elle se cala sur son siège, les sourcils froncés, et croisa les bras, impatiente d'être enfin chez elle.

— C'était un charmant dîner, mentit-elle avec un sourire tendu lorsque Rupert vint lui ouvrir la portière.

— J'ai été enchanté de vous voir, ma chère Colly, assura Rupert avec un large sourire. J'avais tellement besoin de vous parler !…

— En effet, murmura-t-elle, égayée par la spontanéité, la naïveté de la remarque.

— Je reste là, le temps que vous arriviez jusqu'à la porte de votre immeuble, dit-il, prudent.

— C'est gentil. A bientôt, Rupert, et merci encore.

Lorsqu'elle entra dans son petit appartement, elle pensait encore à Silas. Elle revoyait l'étrange sourire qu'il lui avait adressé. Elle voyait aussi hélas, le joli visage de cette femme, ses cheveux blonds, légers, ce petit nez mutin…

Bouleversée, elle se précipita dans la salle de bains, et prit une douche, l'esprit vide, en grand désarroi. Elle se sentait plus abattue que jamais.

Elle se coucha, les yeux humides, le cœur endolori.

Lorsque le téléphone sonna, longtemps après, alors qu'elle cherchait vainement un sommeil qui se refusait à elle, Colly bondit. A cette heure tardive, ce ne pouvait être que Silas.

— Allô ? murmura-t-elle, le cœur battant.

— Alors, on se fait inviter par de vieux cacochymes, à présent ? railla Silas d'un ton acide.

— Rupert n'est pas si vieux que ça ! protesta-t-elle. Il n'a même pas cinquante ans.

— Il en fait davantage.

— Je ne vous demande pas l'âge de votre charmante blondinette, rétorqua-t-elle, piquée. Dieu seul sait si elle est majeure !

Silas eut un rire amusé qui rassura immédiatement Colly. Elle retrouva l'intonation qu'elle aimait tant chez lui.

— Je vous rappelle que vous êtes un homme marié, plaisanta-t-elle, un peu amère. Vous ne paraissez pas respecter à la lettre les règles conjugales.

Elle savait parfaitement qu'ils n'étaient convenus d'aucune règle lorsqu'ils s'étaient mariés, mais cette pique lui permit d'évacuer son angoisse. Dès qu'elle eut prononcé cette phrase taquine, elle se demanda si sa jalousie avait percé dans sa voix. Silas avait-il deviné le motif de sa réaction ? Avait-il vu la douleur qui l'avait envahie, qui la torturait encore ? Avait-il seulement compris à quel point il était important pour elle ?

— Dites-moi, Colly, reprit-il après un temps.

— Je vous écoute, répondit-elle, brûlante de curiosité.

— Je me demandais si vous aimeriez dîner avec moi demain soir.

Colly vit subitement rouge. Silas ne manquait pas de culot ! Quelques heures plus tôt, il se prélassait dans un

140

des meilleurs restaurants de Londres en compagnie d'une star — en tous les cas d'une femme ressemblant à une star —, et voici qu'il lui proposait de dîner avec elle ! C'était à n'y rien comprendre.

— Vous osez parler d'un dîner ! explosa-t-elle d'un coup. Vous ne manquez pas d'air ! C'est de divorce, que nous devrions discuter !

Elle raccrocha sèchement, ulcérée, avant de fondre aussitôt en larmes.

Elle avait vraiment le don de dire n'importe quoi au plus mauvais moment, pensa-t-elle un instant plus tard, agitée de sanglots, tandis qu'un profond désespoir semblait vouloir l'engloutir.

11.

Comme elle essuyait ses yeux, honteuse de s'être laissé emporter d'une manière injuste et violente, Colly se demanda pourquoi elle réagissait parfois ainsi. Mon Dieu, comment avait-elle pu se montrer si odieuse à l'égard de Silas ?

Son caractère avait changé. A vrai dire, il avait changé depuis qu'elle connaissait Silas. Peut-être également depuis la mort de son père, qui l'avait tant marquée.

Elle était devenue plus émotive, tandis que sa volonté s'était affirmée. Mais les mots fusaient hors de sa bouche malgré elle, et elle les regrettait immédiatement après ; c'était parfois trop tard.

Depuis qu'elle était amoureuse de Silas, elle était devenue une autre femme, une femme trop sensible qu'un rien suffisait à faire pleurer.

Tandis qu'elle revoyait encore l'image de Silas et de cette belle blonde, les larmes revinrent à ses yeux. Ce qu'elle ne comprenait pas, c'était la raison pour laquelle il avait téléphoné. Pourquoi voulait-il l'inviter à dîner ? Que voulait-il ? Ne lui avait-il pas fait clairement comprendre que leur mariage devait rester dans la distance, dans l'anonymat. Pourquoi ce coup de fil ?

Anxieuse, fâchée contre sa propre réaction, elle tentait de faire le point lorsqu'elle entendit trois coups frappés doucement contre la porte d'entrée.

Ce ne pouvait être Silas. Il venait de lui téléphoner, et elle lui avait raccroché désobligeamment au nez. Etait-ce un voisin ?

Elle préféra ne pas aller ouvrir : elle n'était pas présentable, dans sa chemise de nuit et avec ses yeux rougis.

Agacée d'être ainsi dérangée, et décidant d'oublier son visiteur, elle tentait de reprendre le sombre fil de ses pensées, lorsqu'elle entendit un bruit, une sorte de froissement, de frôlement, *dans l'appartement*.

Elle se leva d'un bond.

Il y avait quelqu'un chez elle !

Subitement, elle se souvint que Silas avait aussi la clé de l'appartement. Naturellement, d'ordinaire, il sonnait poliment à la porte lorsqu'il venait.

Mais cette fois-ci, il avait utilisé sa clé.

Quel sans-gêne ! Quelle audace !

Elle tomba sur lui alors qu'il entrait dans le salon.

— Je vous signale que vous êtes dans mon espace privé, gronda-t-elle, furieuse.

— Je sais, je sais, murmura-t-il d'un ton apaisant.

— Je vous demande de bien vouloir partir !

— Il faut que nous parlions, Colly. C'est important.

Le ton de Silas était à la fois sec et grave. Colly n'avait aucune envie de se lancer dans une polémique.

— Désolée, rétorqua-t-elle. Je n'ai pas envie d'une discussion qui ne nous mènerait nulle part.

— Il ne s'agit pas de cela, dit-il, bienveillant. Si vous pensez que je suis venu jusqu'ici pour me quereller avec vous…

Il ne termina pas sa phrase. Il s'était approché tout près d'elle, et la dévisageait avec étonnement.

— Mais... Vous avez pleuré ! s'exclama-t-il.

— Et alors ? répliqua-t-elle sur un ton de défi.

— Mais pourquoi, Colly ? insista-t-il, alarmé.

Comme elle ne répondait pas, il reprit avec méfiance :

— Qui était cet homme qui dînait avec vous ?

— Rupert Thomas. Je vous ai déjà parlé de lui, lâcha-t-elle de mauvaise grâce.

— Le responsable de la galerie où vous travaillez le mardi ?

— Lui-même.

Silas eut l'air soudain rassuré. Il s'apprêta à poser une nouvelle question, mais elle le devança :

— Ecoutez, Silas. Il est tard. J'étais sur le point de me coucher, et...

— Si cela vous gêne de me recevoir dans cette tenue, allez enfiler un vêtement, suggéra-t-il.

Elle croisa les bras et poussa un soupir tout en le considérant d'un regard excédé.

— Vous tenez absolument à ce que nous parlions ? murmura-t-elle avec lassitude.

Il acquiesça gravement d'un hochement de tête.

— Mais pourquoi avez-vous pleuré ? insista-t-il avec douceur. A cause de quoi ?

Colly haussa les épaules.

— A cause de différentes choses, sans doute, répondit-elle, souhaitant délibérément rester dans le vague.

Et, comme il l'interrogeait toujours d'un regard alternativement rempli de surprise et de compassion, elle ajouta à mi-voix :

144

— J'ai assez mal réagi au téléphone avec vous, tout à l'heure. Je n'aurais pas dû m'emporter de cette manière...

— Est-ce à cause de moi que vous avez pleuré ?

— Je dirais que vous avez été le... comment dirais-je ? Le déclencheur de toutes ces larmes. Depuis la mort de mon père, il m'arrive de pleurer pour un oui ou pour un non...

— Ma pauvre Colly, murmura-t-il dans un élan de tendresse.

— Ne soyez pas trop tendre, conseilla-t-elle avec un rire nerveux, sinon je vais encore me mettre à pleurer...

— Je n'ai nulle intention de vous faire verser des larmes, assura-t-il. En tous les cas, il faut absolument que nous parlions.

— Il est presque 23 heures, Silas !

— Vous travaillez, demain ?

Ainsi, il se rappelait qu'elle allait à la galerie tous les mardis ! Elle se sentit touchée de cette marque d'intérêt.

— Asseyons-nous, proposa-t-il avant qu'elle n'ait eu le temps de répondre.

Il paraissait réellement préoccupé. Qu'avait-il donc à lui dire de si grave ?

— Vous en aurez pour longtemps ? demanda-t-elle tandis qu'ils s'installaient sur le divan.

— Le temps qu'il faudra, dit-il avec solennité.

Après une brève pause, il reprit calmement :

— Alors, vous avez donc dîné avec Rupert ?

— Oui, il voulait me parler d'affaires personnelles. J'avoue que le dîner n'a pas été passionnant. J'ai eu le droit à un soliloque ininterrompu, à des doléances sans fin, à des jérémiades... Et pendant ce temps, vous, Silas, vous dîniez à côté...

— Mais non ! Je n'ai pas dîné. J'ai simplement pris un verre dans le salon où vous m'avez vu.

Stupéfaite, Colly n'en croyait pas ses oreilles.

— Alors, vous... vous ne l'avez pas invitée à dîner ?

Elle avait posé la question avec une telle fébrilité qu'elle comprit aussitôt — mais trop tard — que le ton de sa voix avait trahi son inquiétude à l'égard de la jolie blonde.

— Vous n'êtes pas jalouse, tout de même ? murmura Silas en la dévisageant avec stupéfaction.

· Piquée au vif, Colly rougit et se défendit piteusement.

— *Jalouse* ? Moi ? Je ne suis votre femme qu'officiellement, et n'ai aucune raison de ressentir quoi que ce soit...

Elle s'était exprimée avec un détachement exagéré ; Silas n'était probablement pas dupe.

— Ceci dit, c'est une très jolie femme, ajouta-t-elle pour faire diversion.

— Qui ? Naomi ? Ah, oui, sans doute... répondit-il, l'air absent.

Colly ne souhaitait aucunement entrer dans les détails. Elle n'avait pas envie de souffrir. Mais Silas reprit aussitôt :

— J'avais prévu de vous voir, ce soir, mais Naomi m'a demandé avec insistance de la rencontrer un moment, car elle avait un problème, et...

— Cela ne me regarde pas, coupa sèchement Colly.

Elle était déterminée à éviter tout ce qui pourrait éveiller cette pénible jalousie.

— Qu'avez-vous donc de si urgent à me dire, Silas ? demanda-t-elle au bout d'un moment.

146

Silas, bizarrement, avait l'air hésitant, ce qui n'était pas dans ses habitudes. Et c'est sur un ton quelque peu forcé, avec un rire qui n'en était pas vraiment un, qu'il assura :

— En tous les cas, je ne suis pas venu pour parler divorce !

Colly hocha la tête, songeuse.

— Je vous demande de m'excuser, Silas, pour tout à l'heure. Le mot «divorce» m'est venu à l'esprit parce que j'étais hors de moi. Mais je n'y pensais pas réellement.

Pendant un moment, ils demeurèrent silencieux. Puis Silas reprit d'une voix éraillée, émotionnée :

— Je... Je suis venu pour parler de notre mariage, Colly.

— De notre mariage ? répéta-t-elle, stupéfaite.

Où voulait-il en venir ?

— Les choses ne se sont pas exactement passées comme je l'avais prévu, confessa-t-il avec gêne. Au départ, le projet était clair : vous deviez poursuivre vos études artistiques, tandis que je récupérais la direction de l'entreprise. Mais...

— *Mais* ?...

— Mais la suite des événements a complètement bousculé mes plans. Je n'envisageais pas que les choses puissent évoluer de cette manière...

— De quelle manière ? insista-t-elle, le cœur battant.

— Je ne pensais pas que j'allais... comment dire ?... Que j'allais nourrir des sentiments aussi forts, expliqua-t-il en se pinçant nerveusement l'oreille, ce qui était chez lui un signe de grande fébrilité. Je me suis progressivement rendu compte de... de l'intérêt que je vous portais, Colly.

Bouche bée, elle écarquilla les yeux. Elle tombait du ciel. Jamais elle n'aurait imaginé que Silas Livingstone puisse s'intéresser à elle !

Il se tordait fébrilement les mains, trahissant une nouvelle fois son émotion et son agitation intérieure. Colly ne l'avait jamais vu en proie à un tel trouble : lui qui était toujours si maître de lui !

— Vous avez pris une importance de plus en plus grande dans ma vie, confia-t-il d'une voix sourde en fixant la moquette. Je ne m'attendais pas du tout à cela lorsque je vous ai demandé de m'épouser. Je m'attendais à une relation tout à fait distante. A une absence de relation, à vrai dire. Et puis…

Il s'interrompit un instant, le visage marqué par une grande tension, les sourcils froncés, le regard toujours figé.

— … Et puis je me suis rendu compte d'une chose, Colly : je ne pouvais pas ne pas vous voir. J'avais besoin de vous, de votre présence, de votre voix… Figurez-vous qu'il m'est arrivé de ne plus rien entendre au cours de conseils d'administration très importants… Je décrochais ! Je pensais à vous, et tout le reste s'effaçait. J'ai même eu, parfois, la tentation de quitter la salle de réunion pour aller vous rejoindre !

— Ça, c'est grave ! reconnut-elle, taquine, tandis que son cœur bondissait de joie.

— Et lorsque je me suis retrouvé à l'hôpital, après avoir attrapé ce satané parasite, je n'ai cessé de penser à vous. Le plus extraordinaire, c'est que lorsque je me suis réveillé, après cette confusion comateuse qui avait été la mienne durant plusieurs jours, j'ai ouvert les yeux, et j'ai vu… qui ? Vous, Colly ! Vous étiez auprès de moi ! Cela, c'était un signe du ciel, un miracle !

148

Elle n'en croyait pas ses oreilles. Ils avaient donc vécu, durant toutes ces semaines, tous ces mois, un malentendu complet. Elle l'avait cru indifférent, indépendant, insouciant d'elle, et c'était tout le contraire !

Bouleversée, elle le fixait avec passion, buvant chacune de ses paroles comme le plus subtil des nectars.

— Mais au fait, pourquoi êtes-vous venue me voir à l'hôpital ? poursuivit Silas, dévoré par la curiosité.

— Eh bien… hésita-t-elle, le cœur battant à tout rompre, moi aussi, je… je me suis attachée à vous. Mais je ne pouvais pas vous le dire, parce que je pensais être seule à vivre ce sentiment.

— Je ne puis le croire.

— Et pourtant… Je vous ai aimé secrètement pendant tout ce temps, admit-elle d'une voix à peine audible, altérée par l'émotion.

— Oh, ma chère Colly… Mon tendre amour ! s'exclama Silas en la prenant dans ses bras et en la serrant contre sa puissante poitrine.

Longtemps, ils restèrent ainsi enlacés sans dire un mot, à écouter les battements effrénés de leurs cœurs à l'unisson. Colly pleurait de bonheur.

Lorsqu'ils relâchèrent leur étreinte, elle essuya clandestinement ses yeux. Mais elle n'était pas sûre que Silas n'ait pas remarqué la soudaine brillance de ceux-ci.

Il lui serra brusquement les mains avec ferveur.

— Colly, j'aimerais que vous soyez totalement sincère avec moi.

— Oui, Silas ? Que voulez-vous savoir ?

— J'aimerais savoir ce que vous ressentez exactement pour moi. Est-ce que vos sentiments… Je veux dire : est-ce que votre… Vous m'avez dit que vous vous êtes attachée à moi, cela signifie-t-il que… que…

Il en balbutiait d'émotion, courant après des mots qui s'éparpillaient en désordre. L'amour le rendait maladroit, pour la première fois de sa vie.

— Oh, Silas Livingstone ! Oh, si vous saviez comme vous êtes important pour moi, murmura-t-elle, chavirée. Tout à l'heure, lorsque j'ai raccroché après votre coup de fil, je me suis mise à pleurer comme une Madeleine.

— A cause de moi ?

— Bien sûr ! A cause de vous. Je venais de vous raccrocher au nez, alors que j'étais folle d'amour pour vous !

— Oh, ma chérie ! Mais c'est merveilleux ! C'est incroyable !

Ils se jetèrent une nouvelle fois dans les bras l'un de l'autre. Le baiser qu'ils échangèrent fut le plus ardent, le plus passionné, le plus amoureux des baisers.

A bout de souffle, ils s'arrachèrent à leur étreinte. Ils se dévisageaient avec une passion dévorante.

— Je vous aime, Colly, je vous aime comme je n'ai jamais aimé aucune femme.

— Je vous aime, Silas, comme jamais je n'ai aimé de ma vie.

Ils s'étreignirent une fois encore avec une passion si ardente qu'elle confinait à la violence, tant était impétueux et puissant l'amour qu'ils éprouvaient l'un pour l'autre.

— Si vous saviez à quel point j'avais envie de bondir vers vous, tout à l'heure, dans ce salon du restaurant, dit-il en riant.

— Comment ! Lorsque vous étiez avec cette ravissante blonde ?

— Cette « ravissante blonde » n'est autre que Naomi. Je vous ai déjà parlé d'elle, non ?

Colly n'avait guère envie d'aborder ce sujet qui lui faisait mal au cœur.

150

— Non, je ne crois pas, dit-elle, les sourcils froncés.

— Naomi est la femme de mon cousin Kit. Vous savez, celui qui rêve tellement de devenir le patron de notre entreprise... Bref, elle m'a appelé en urgence. Elle voulait absolument me raconter ses malheurs conjugaux — pendant que votre ami Rupert, lui, vous expliquait les siens — Figurez-vous qu'elle vient d'apprendre que Kit a une liaison.

— Cela ne m'étonne pas, observa Colly en secouant la tête avec mépris. Vous avez pu lui être d'un quelconque secours ?

— Non. On ne peut rien contre un mariage qui prend l'eau. Moi, c'est mon propre mariage qui m'importe. Le nôtre, mon amour ! Tout ce dont je rêve, à présent, c'est d'un véritable mariage pour nous.

Colly se demanda si elle avait bien compris le sens de ses paroles.

— Qu'entendez-vous par un « véritable mariage » ? reprit-elle, la gorge nouée.

Il ouvrit tout grands ses bras dans un geste signifiant l'évidence la plus limpide.

— Un vrai mariage ! s'exclama-t-il. Tout simplement ! Non pas un mariage administratif ou factice : un mariage pour de bon, pour la vie. Je veux vivre avec vous, Colly, définitivement. Etes-vous prête à cet engagement ? Voulez-vous me prendre pour mari ? Pour un véritable mari ?

Elle se jeta dans ses bras en sanglotant de joie.

— Oh, oui, Silas ! C'est exactement ce que je désire ! Que nous formions un véritable couple !

Le nouveau baiser qu'ils échangèrent fut intensément amoureux, passionné. L'un et l'autre brûlaient de désir. Et lorsque Silas commença de dévêtir Colly, elle murmura, tremblante de désir :

— Oh, Silas !...

— Est-ce un « Oh oui » ou un « Oh non » ? questionna-t-il, railleur. Parce que, comprenez-vous, je ne veux pas vous forcer si...

— C'est un « Oh oui, oui, oui ! » précisa-t-elle en riant avec lui. Comprenez-moi, Silas, je ne... Je n'ai pas vraiment l'habitude de...

— Je comprends, ma chérie. Vous n'avez pas à avoir peur, je serai délicat. Mais d'abord, répondez à ma question : voulez-vous m'épouser, madame Livingstone ? Souhaitez-vous vivre toute votre vie avec moi, pour le meilleur et pour le meilleur ?

Elle lui sourit, totalement épanouie. Jamais elle ne s'était sentie aussi heureuse.

— Oui, monsieur Livingstone. Je le veux !

Il la serra contre lui avec amour, la berçant dans un mouvement plein de tendresse.

— Ma petite femme, murmura-t-il d'une voix troublée par l'émotion, ma chère, ma tendre, ma sublime femme... Mon merveilleux amour !

Cette nuit-là, ils s'unirent pour la première fois, et leurs corps ondulèrent au rythme de leurs sens enfiévrés.

Lorsqu'ils s'éveillèrent enlacés, au petit matin, Colly déposa un baiser sur le front de celui qui était, pour la vie, son amant et son époux...

Plongeant son regard bleu dans le sien, Silas murmura alors :

— Madame Livingstone, j'ai l'immense honneur de vous redemander votre main !

Chère lectrice,

Vous nous êtes fidèle depuis longtemps?
Vous venez de faire notre connaissance?

C'est pour votre plaisir que nous avons
imaginé un rendez-vous chaque mois
avec vos auteurs préférés, vos
AUTEURS VEDETTE dans les
collections Azur et Horizon.

Les AUTEURS VEDETTE vous
donneront rendez-vous pour de
nouveaux livres vedette.

Pour les reconnaître, cherchez
l'étoile ... Elle vous guidera!

Éditions Harlequin

HARLEQUIN

LE FORUM DES LECTEURS ET LECTRICES

CHERS(ES) LECTEURS ET LECTRICES,

VOUS NOUS ETES FIDÈLES DEPUIS LONGTEMPS?

VOUS VENEZ DE FAIRE NOTRE CONNAISSANCE?

SI VOUS AVEZ DES COMMENTAIRES, DES CRITIQUES À
FORMULER, DES SUGGESTIONS À OFFRIR, N'HÉSITEZ
PAS… ÉCRIVEZ-NOUS À:
> LES ENTERPRISES HARLEQUIN LTÉE.
> 498 RUE ODILE
> FABREVILLE, LAVAL, QUÉBEC.
> H7R 5X1

C'EST AVEC VOS PRÉCIEUX COMMENTAIRES QUE NOUS
ALLONS POUVOIR MIEUX VOUS SERVIR.

DE PLUS, SI VOUS DÉSIREZ RECEVOIR UNE OU
PLUSIEURS DE VOS SÉRIES HARLEQUIN PRÉFÉRÉE(S)
À VOTRE DOMICILE, NE TARDEZ PAS À CONTACTER LE
SERVICE D'ABONNEMENT; EN APPELANT AU
(514) 875-4444 (RÉGION DE MONTRÉAL) OU 1-800-667-4444
(EXTÉRIEUR DE MONTRÉAL) OU TÉLÉCOPIEUR
(514) 523-4444 OU COURRIER ELECTRONIQUE:
AQCOURRIER@ABONNEMENT.QC.CA OU EN ÉCRIVANT À:
> ABONNEMENT QUÉBEC
> 525 RUE LOUIS-PASTEUR
> BOUCHERVILLE, QUÉBEC
> J4B 8E7

MERCI, À L'AVANCE, DE VOTRE COOPÉRATION.

BONNE LECTURE.

HARLEQUIN.

VOTRE PASSEPORT POUR LE MONDE DE L'AMOUR.

<u>COLLECTION</u>
<u>HORIZON</u>

Des histoires d'amour romantiques qui vous mènent au bout du monde!

Découvrez la passion et les vives émotions qu'apportent à la Collection Horizon des auteurs de renommée internationale!

Captivantes, voire irrésistibles, ces histoires d'amour vous iront assurément droit au coeur.

Surveillez nos trois nouveaux titres chaque mois!